The **Devil**
You Know

犯罪心理學家教你**辨識生活中的心理變態**

小心，
魔鬼就在你身邊

凱莉·戴恩斯 *Kerry Daynes* 潔西卡·法羅絲 *Jessica Fellowes* 著 嚴麗娟

推薦序

面對魔鬼，坦然無懼地面對它及克服它！

——職場達人　邱文仁

編輯寫信給我，希望我能為這本書寫一篇推薦序。當我看完這本《小心，魔鬼就在你身邊》，我感覺這是一本有趣又具威脅性的書，因為它把生活各個面向的潛在「魔鬼」挑明出來，因此，讀者看完後，可能會有點憂傷及害怕！本書不囉嗦，就是要讀者認清：生活中原本就有許多考驗你的人，他們存在於家庭、職場、朋友，甚至約會對象中，而且，他們可能沒有同理心也沒有良知，如果你沒有認識清楚，他們可以把你整得很慘！

因為我經常研究職場現象，我想，要推薦本書，我就從職場的角度切入，可能更有說服力。

在職場多年，雖然我一直可以找到發揮的舞台，也結識了許多值得學習的人，但無可避免的，一路上還是有許多對手、競爭者、敵人，還是有許多不得不面對的殘酷攻擊，也必須及時反應及對抗，才能避免成為犧牲者。這時，我會感覺自己身處「職場的黑暗隧道」。

何謂「職場的黑暗隧道」？這句話來自一位我很尊敬的長輩。他說「職場的黑暗隧道」指的是「在職場上所有會讓你感覺不舒服的現象」。這些現象陸續出現在你的職涯中，折磨你、考驗你，其中潮濕陰暗的情節，讓人很不舒服，而且感覺很長沒有盡頭。

他說：這個隧道的長度，大概有十年，它的計算方式是從踏入完全陌生的職場的第一天起，大概要花十年的時間才可能幾乎經歷過這些職場百態，十年後，這些職場現象只不過是不斷再重複而已。

這個「職場的黑暗隧道」的陰暗潮濕的始作俑者可能就是所謂的「魔鬼」。事實是，「魔鬼」無所不在，而面對這種種妨礙你的魔鬼（或對手），就應該勇敢認清他們存在的現實，然後找到方法，尋求自己的生存之道！而生活處處都是學習！上次在水族館，我體會到在大自然中殘酷競爭的水中生物，也自有生存之道，可供人類學習，分享如下：

一、懂得適應環境的比目魚

比目魚身體扁扁的，灰色中帶有大理石花紋，和周圍的石礫很相似。因此，只要牠不動，就很難覺察牠的存在，因此，在危機四伏的大海之中，弱小的牠，卻不容易被吃掉。比目魚最厲害的，是隨著背景的色澤而變色，黑色、褐色、灰色等，牠都能立即變出來。所以說比目魚又稱為水中的「變色龍」。

在水族箱裡，我看到比目魚為了保護自己，可以一直變換顏色，可說是偽裝的高手！「變色」就是比目魚的保命絕招！這讓我想到，在不安的職場環境中，上班族最好的生存方法，就是「適應」變化，及配合環境，改變自己。小小的比目魚，也可以給我們職場生存的示範喔！

二、懂得互利共生的 Nemo

卡通裡的 Nemo，是顏色鮮艷的小可愛，大家叫牠小丑魚，其實牠真名是「海葵魚」。牠們弱小又鮮豔，但還是可以悠遊自在，顯然和比目魚有不同的生存之道。

小丑魚喜歡在海葵的觸手中穿梭。當牠們受到其他生物的威脅時，便會立刻躲進海葵有毒的、不斷擺動的觸手中！因為，如果有誰碰上了海葵的觸手，毒液就會隨著刺絲進入來犯者的體內，使其癱瘓，然後成為海葵的腹中之物。小丑魚因為習慣穿梭於海葵之中，其皮膚對海葵的毒液免疫，也因為牠對海葵很依賴，所以一旦超出了海葵的保護範圍，牠就會失去防衛能力，以致很快被其他捕食者吞食。所以說，海葵就是小丑魚很硬的「後臺」或私人保鏢。

小丑魚是如何回饋私人保鏢「海葵」呢？答案是：進貢（帶食物進去）。

三、看似和平，惹我？你會後悔的黃倒吊魚

外表像刀片的剝刀魚，看起來就不好惹。不過我覺得更酷的是淡黃色，扁扁的黃倒吊魚。黃倒吊魚看起來傻傻的，本性也很和平，不會隨便惹別人。不過，如果你不小心惹了牠，牠的鰭，可比刀片更利，一定會把攻擊牠的敵人劃個皮開肉綻的！

在職場上也是如此！我常想，如果你的形象是凶悍的，別太在意，因為往往這可以省掉很多別人來招惹你的麻煩！但如果你是溫和的，就得像黃倒吊魚一樣，要有保護自己的能力，必要時必須給予反擊，否則只會讓人得寸進尺呢！

誠如這位長輩所說：一旦你承認有黑色隧道，態度就豁然開朗，因為你很清楚這是成長的唯一路徑，經歷了這些，是為了創造下半輩子永不為職場困擾的實力與成熟度。所以，凡事得從學習的角度來看事情。

所以讀者們，別害怕，勇敢地了解魔鬼及對手吧！當你用學習的角度看事情，你可以坦然無懼地去克服它及面對它，因為這是「成長的唯一路徑」。

推薦序

如何面對心理變態

——亞洲大學心理系教授　葉重新

我們常常會接觸到一些駭人聽聞的事件，譬如：最近美國發生電影院屠殺案；兩名台灣女留學生在日本東京都的台東區草苑日本語學校宿舍內遭刺，不幸身亡，這些重大新聞事件大都與心理變態有非常密切的關係。心理變態者就像一顆不定時的炸彈，隨時隨地對自己或他人生命財產安全，造成嚴重威脅與傷害。現代社會科技日新月異，給人們帶來生活的便利，人人可以快速接收到各種訊息，如果這些資訊是偏離社會常軌，心理變態者在學習與模仿之後，就可能產生嚴重的後果。

現代社會由於升學、就業與工作壓力愈來愈大，生活競爭日益劇烈，造成許多人貧窮或失業。在父母管教子女方式不當，學校教育過度偏重智育，忽略體育、道德教育與群育，以及不良的社會風氣薰陶之下，導致許多人的身心與人格無法健全發展，甚至產生變態心理。根據臨床心理學者統計資料，近年來罹患憂鬱症、躁鬱症、精神分裂症、精神官能症、犯罪、霸凌、酗酒、性變態、藥物濫用、人格異常、離婚、網路成癮、自殺的人，有日漸增加的趨勢。在許多心理變態者潛伏的社會情境之下，我們該如何坦然去面對？

一個人的行為是否變態？目前台灣臨床心理師或精神科醫師，大都採用美國精神醫學會，精神疾病的診斷與統計第四版（DSM-IV），精神疾病分類系統來作為診斷工具。本書作者提出許多心理變態的案例，以及分辨心理變態的徵兆，讀者在詳細閱讀之後，除了可以清楚判斷生活周遭的人，是否罹患心理變態，以便及早做好因應，避免遭受無辜的傷害之外，還可以幫助自己與家人遠離心理變態，邁向健康與幸福的人生。

目錄

推薦序　面對魔鬼，坦然無懼地面對它及克服它！……邱文仁　003
推薦序　如何面對心理變態……葉重新　007
致謝　013
前言　015
第一章　生命中的心理變態　017

生活中的心理變態或許穿著名牌西裝，或許穿著運動服；可能是男人，也可能是女人；或許是胸懷大志、月入高薪的人物，也可能是依賴社會福利，撫養五個小孩的母親；他們可能十五歲就從學校輟學，也或許是高學歷高資格的專業人士。

第二章 你的同事是不是心理變態？ 041
有職業的心理變態比一般心理變態更能控制自己，為了達到自己的目的，他們會冷酷地找到三個目標：小兵、贊助人、替死鬼。

第三章 你的老闆是不是心理變態？ 069
在所有類型的心理變態中，最危險的應該是心理變態的老闆。除了能犯下種種罪行，身為老闆，他們能偽裝得天衣無縫。

第四章 你最要好的朋友是不是心理變態？ 093
每個人都希望自己受別人歡迎，利用這一點，心理變態會變成你的朋友，想辦法引起你的興趣，好滲透到你的生活裡，在你發現前，他們已經接管了你的社交生活和感情生活，或許也榨乾了你的皮夾。

第五章 你約會的對象是不是心理變態？ 115
如果要上網交友，選擇成立已經有一段時間的網站，而且成員要付費才能得到最新消息；你的個人資料會得到保障，網站也有防止濫用的政策。確認你可以使用封鎖功能，避開不想聯絡的人。

第六章 你的孩子是不是心理變態？ 141
心理變態是先天還是後天養成的？生長在充滿愛的家庭中，長大後仍有可能展現許多心理變態的特質嗎？還是父母只能驚恐地站在一旁，看著他們的小天使不斷違逆父母的信任和愛？

第七章 你的父母是不是心理變態？ 179
心理變態的父母或許會疏忽孩子，或許會把孩子看成自己的延伸，對他們施加凡人無法承受的壓力，要他們行為舉止得宜。

第八章 你的伴侶是不是心理變態？ 203
心理變態的伴侶會反覆傷害你，也會讓你沒辦法離開他；他們善於扮成很愛你的樣子，再穿插控制你的手段；他們的模式是獎賞、懲罰和威脅，逼得伴侶不得不屈從，失去了必要的自尊和逃離的意願。

第九章 你迷戀的明星是不是心理變態？ 235
如果要出名，心理變態的特質會讓他們更快更容易出人頭地，不懂得懊悔或內疚，表示他們可以踩在別人頭上，就跟踩著石頭一樣輕鬆自在地爬上頂端。

第十章 你是不是心理變態？ 257
在我們一生中，總有時候會被迫做出心理變態的行為，這叫做「情境心理變態」；或許是在學校被霸凌的人想要報復，不得不採取激烈手段；或者愛人把你一腳踢開，你想要讓他感受到你的傷口有多痛；這時就有可能出現類似心理變態的無情冷酷心態和行動。

參考書目 279

致謝

本書有很多取自真實生活事件的例子，作者在其中發覺有些特質會出現在心理變態行為的量表上（在這個量表上，大多數人都有自己的落點）。作者舉出這些例子，提供給讀者當成案例研究，把每章學習到的知識加以應用，看看是否能察覺變態行為的特質。

如果一個人出現在案例裡，或者曾出現在其他章節，並不表示他就是心理變態，讀者要避免錯誤的假設。

每章開始的地方都有案例研究，用來說明在那樣的角色上，一般心理變態的典型行為——並非根據現存或已經逝世的真實人物或相似人物，如有雷同，純屬巧合。使用來自媒體報導、奇聞軼事和已出版報告的例子時，即使其他人都認為某人是心理變態，如果沒有多方面評估，我仍無法確定這種說法的正確性。由專家評估確診為心理變態者，結果很嚴重，影響也很深遠。本書僅提供相關知識，不應當成診斷工具使用。

感謝葛蘭特集團的伊布森，在搭地鐵前往拜訪PFD的羅頓先生和莫里斯娛樂公司的佛尼斯先生時，她給了我靈感。感謝豪德斯托頓出版社的海考克對我如此有耐心，特別感謝我的寶寶喬治，很有效率地趕上了截稿期限。

前言

寓言：蠍子和青蛙

在溪邊的河岸上，蠍子碰到了青蛙。蠍子想要過河，問青蛙能否載牠過去。

「但是我怎麼知道你不會螫我？」青蛙很小心地先問了這個問題。

「我當然不會螫你，」蠍子回答，「我螫你，我自己也會溺死。」

青蛙聽了覺得很滿意，同意載蠍子過河，蠍子便跳到青蛙背上。游到半途，蠍子螫了青蛙，雙雙沉入水裡。

「你幹嘛螫我？」垂死的青蛙大喊。

「本性難移。」蠍子回答。

第一章

生活中的心理變態

「我跟約會的對象在網路上聊天已經有一陣子了，我們安排好在咖啡店會面。我到了那裡，看到其他四個女的也在等人，一人一張桌子。最後他拿著五朵花出現，給我們一人一朵。」

＊＊＊

「早上打開冰箱，發現室友又把我的乳酪吃完了。我就知道，昨天晚上我跟她大吵一架，因為她又沒經過我的同意就偷拿我的洋裝去穿，洋裝回來的時候沾滿菸味，裙襬也髒了。還有呢，她一直沒付該分攤的瓦斯費，我已經追了四個月。」

＊＊＊

「最近同事讓我很受傷。幾個星期前他剛來報到，我們兩個人立刻變得很要好，幾乎每天都一起去吃午餐。但最近他都不回我的電子郵件，午餐時間還沒到，他就提早跟副理離開公司去吃飯，兩人有說有笑的。我不懂為什麼，虧我還花了很久的時間幫他寫報告，因為上星期他要做一份很重要的簡報。」

＊＊＊

「上星期我把小兒子從沙坑裡拉出來，遠離湯米。當時我發現他在尖叫，而湯米則沉著地用他的玩具敲打一隻老鼠，還試著把老鼠的腿一條一條扯下來。我責備年幼的湯米，他面無表情地看著我。他口裡說著『對不起』，嘴角的蔑笑卻顯而易見。事後他媽媽問他發生了什麼事，他無辜地說別人弄錯了。『一定是他害的。』他說，手指著我那個還在抽噎的學步兒。」

＊＊＊

聽起來很耳熟？我敢打賭，以上這些情景你一定碰過至少其中一種。在生命中，你注定會碰到這種人，他們會展現出心理變態的關鍵特徵。事實上，科學家估計，全球有百分之一到三的人口是心理變態。所以，如果你的臉書上有一百個朋友，很有可能其中至少有一個人符合變態的資格（倘若你的朋友都是在監獄裡認識的，這樣的機率會有百分之十五）。

聽起來很嚇人——也可能真的很嚇人。但心理學家發現，現在有「心理變態光譜」這種東西。最高的等級是心理變態的連續殺人魔，最低的等級則是平凡的「天使」，中間某個落點則是不會觸犯法律、但仍會對周遭的人帶來極度的傷害和損失的人。

或許你沒發覺，事實上，很有可能你不會發現。心理變態的人不會一手提著血淋淋的刀，一手提著砍下來的人頭到處走動。他們可狡猾得多了，多上好幾倍。你生活中的心理變態可能是你的老闆、家裡十幾歲的孩子、相親的對象、親友、醫生或愛人。

心理變態或許穿著名牌西裝，或許穿著運動服；可能是男人，也可能是女人；或許是胸懷大志、月入高薪的人物，也可能是靠著社會福利要養五個小孩的母親。這些心理變態或許好看得不得了，或許滿臉青春痘；他們可能十五歲就從學校輟學，也或許是高學歷高資格的專業人士。

事實上，心理變態的共通點只有各式各樣的情緒異常和反社會的行為，有可能在家庭、組織和整個社群中造成破壞。這種狀態無法治療。他們缺乏同理心，為達目的不擇手段，也不在乎擋路的是誰。他們會想辦法迷惑人心，好加以操控，他們會騙你的錢或住進你家，甚至還有可能騙走你的心。

奇怪的是大家為什麼都愛心理變態？想想看電影《鬼店》中的傑克尼柯遜，《致命的吸引力》中的葛倫克蘿絲，《沉默的羔羊》中的人魔漢尼拔，以及《猜火車》中勞勃卡萊爾飾演的的卑鄙一角：這幾部電影票房大賣，無數觀眾付錢買票，享受背脊打顫的快感。讓我們怕到（幾乎）不敢翻開下一頁的恐怖小說，連續殺人犯在曼徹斯特僻靜的石子路上潛行的肥皂劇劇情，都非常受歡迎。真實生活中的罪行也會立刻變成報紙用來吸引讀者的題材，配上骸人的標題和冗長的分析。

生命中的某個時刻，或許你會提到「變態前男友（或女友）」，很有可能他超愛看《車迷大本營》（譯按：英國廣播公司BBC製作的著名汽車節目），或拋棄你去跟一個外貌不如你的人在一起；但我們其實不懂心理變態是什麼意思，也從來沒想過實際上有可能碰到真正的心理變態。

這本書會教你什麼是心理變態：什麼會讓他們發作、他們的心裡和腦子裡在想什麼（真的在腦子裡）、為什麼他們會是那個樣子，以及我們可以怎麼處理狀況。讀完之後，你就能察覺警訊，看出誰有可能是心理變態——他們在不同的角色上和環境中如何表現——也懂得該用什麼方法來保護自己。

心理學家評估心理變態時會按照嚴格且詳細的診斷依據，但對外行人來說，心理變態出現時，你會聽到警訊大作。雖然這本書不適合用來當作識別心理變態的鑑識工具，但會根據心理學的原理給你警告。別再犯錯了：如果心理變態的嫌疑犯進入你的生活，你就得快點擺脫他們。

不論你正在約會，還是費盡苦心要當好父母，或者在工作上受到霸凌，還是被號稱死黨的朋友搞得很困惑，這本書會幫你找出身邊的惡魔。

我是一個犯罪心理學家，開設了自己的事務所。我雇用心理學家和心理治療師，為形形色色的社會、健康和司法機構提供服務，接受委託協助辨識出哪些人有可能傷害自己或其他人。我曾在中度安全的單位中治療過患有精神疾病的罪犯，其他對象還包括戒備森嚴監獄中的囚犯和社區中高度危險的人物，我也曾接過刑事法庭和家事法庭的案件，一天之內有可能碰到在商店裡順手牽羊的小偷，也有可能碰到連續施暴的人。一路走來，我曾面對過英國一些最惡名昭彰的心理變態罪犯。我完全知道他們控制別人的手段有多厲害，以及他們的外表看起來有多麼迷人聰穎。

第一次評估心理變態的狀況時，我到一座高度戒備的監獄中和他面談；必須穿過幾道厚厚的鋼門才能見到他。為了我的安全，面談的房間裡裝了緊急按鈕，外面也配置了獄警。由於此人申請假釋，我接受委託來評估他的狀態——他因為謀殺外婆被判無期徒刑；他為了五英鎊跟外婆吵架，結果用刀把她給刺死。如果有人在旁邊看著我走進房間進行第一次面談時，認為我才是要接受訪問的人，倒也不奇怪。他安排了其他囚犯幫我倒茶，也重新排列了稀落的家具，好讓面談室感覺更舒適。他把要討論的議題寫下來，列出他覺得需要探討的重點。這就是第一個警訊，讓我察覺到他心理變態的傾向：心理變態在受訪的時候幾乎都是這樣，他們想要留下很好的印象，一開始時都會關心你在面談時是否覺得舒適，但他們的關心一點也不誠懇。更不用說他們天生就覺得自己比較優越，表示他們想要控制面談的流程，就像在主持記者會之類的活動一樣。

我已經看過當事人的檔案，很清楚他犯了什麼罪。但是，由於他回答最初幾個問題時非常自在，清楚展現他的口才，我仍覺得他很討喜，十分迷人。

第一天，他告訴我他一生的故事，而他就是故事中的悲劇英雄，這當然是他自己的版本。他說母親虐打他，他每天晚上都會哭泣，想念不在身邊的父親，他一直是個沉默害羞的男孩，拚命捍衛自己的尊嚴。他很有說服力，我差點都要跟他一起流淚了。但他展現出來的情緒從戲劇性的咬嘴唇和流著淚、拉扯頭髮，突然變成很突兀的笑話，問我要不要到外面抽菸休息一下，還稱讚我的牙齒很白很整齊，情緒轉變快得不得了（另一個警訊）！

我問起他殺死外婆的事情，他說，他和七十三歲的外婆同住，盛怒之下他從廚房拿了刀，用「不鋒利的那邊」刺外婆（刺了起碼十七次）。他認為，或許是他大發脾氣的異常行為嚇到了外婆，而且她之前的健康狀況就不好，於是可憐的外婆一命嗚呼，根本不是他直接造成的傷害（警訊三）。

他說，自從入獄以來，他一直心懷愧疚，受到罪惡感的折磨；但我要他詳細說明這些可怕的自責感受，他卻突然啞口無言（第四號警訊）。在監禁期間他並未利用機會接受治療，卻主張說是外婆的吼叫揭開舊瘡疤，導致他攻擊外婆。從那時候起，他「原諒」了母親在他幼時給他的虐待，外婆讓他想起受虐的記憶也並非出自刻意。這些說法應該都是為了讓我相信現在一切都沒問題了。

第二天面談時，我指出他自己的描述跟檔案裡的資訊顯然有差異。面對不一致的地方，他面不改色，宣稱他的記憶出現了神祕的空洞和缺口（第五號警訊）。他繼續說下去，順道「想起來」他犯過加重竊盜罪和很多次詐騙，偶爾則犯下了「男孩子的惡作劇」，比方說把鄰居的貓抓來虐待（警訊！警訊！）。他滿面笑容地告訴我，他把鳥兒的翅膀釘在樹上，彷彿那只是值得一笑的青少年胡鬧事件。最後當他注意到我臉上驚恐的表情（我還太嫩，藏不住反應），他才突然改變方針，說連他自己都不敢相信他的行為這麼糟糕。我問他為什麼覺得糟糕。他怎麼回答呢？他說他被判決有罪，罰了五十英鎊。

第三天，他告訴我如果得到假釋，他要做什麼，他的計畫包含不少方案，例如接受訓練成為心理學家，或當兒童的輔導老師。入獄期間，他充分利用機會接受教育——事實上，獄中有位助教因此被轉到另一座監獄，因為他想辦法讓她相信，他知道她家的地址，脅迫她夾帶違禁品給他。他說：「只是好玩嘛，誰叫她這麼好騙。」

他也不小心說溜了嘴，透露他為這次評估下了一番工夫。原來他讀過其他囚犯的報告，而他們的假釋申請都受到拒絕，為了表現得更好，他還讀了一本心理分析的書。最後他把手放在我的膝蓋上，問我：「我的表現怎麼樣？」

在這三天面談中，他在我個人完全沒有科學憑據的「頸背汗毛」量表上，分數逐漸升高。在更有根據、更傳統的心理變態度量法上，他的分數也很高。

心理變態究竟是什麼意思？

心理變態（psychopath）字面上的意思是「病態的心靈」，心理變態也有可能跟其他人一樣患上短期的心理疾病，但他們不是精神病患者。他們能清楚察覺到自己的行為，也能合理控制。他們的行為不能用一時發病而導致的結果來簡單解釋，而是一輩子保持冷酷算計，對其他人漠不關心，反而更令人恐懼。

心理變態不是瘋子，但他們可能會壞到骨子裡，壞得不得了。

在人類演化的過程中，自從我們脫掉了多餘的毛髮，開始直立行走，就總是有人似乎不在意一般的規則或其他人的感受——比方說匈奴王阿提拉、暴君卡利古拉和希特勒。我們可以說，有幾個極端的心理變態掌控了人類歷史的發展，但這一點很難證明，因為要到了一九四〇年代，衡量心理變態的方法才發展出來。在那之前，社會大眾只能譴責他們「道德淪喪」或邪惡得要命。

美國的心理醫生克勒利（Hervey Cleckley）於一九四一年出版第一本有關心理變態的重要書籍《精神健全的面具》（*The Mask of Sanity*），率先把這個名詞帶入大眾文化。他寫這本書是為了幫助大家偵測和診斷難以捉摸的心理變態，他也是第一個提出心理變態的定義，並將其和重大的心理疾病加以區分，後者顯然就是「不正常」（岔個題，耐人尋味的是，克勒利後來在美國連續殺人魔邦迪的審判中擔任專家證人，邦迪在一九七八年被判有罪，他犯下了三十多起謀殺案）。克勒利訪問精神科的病人，發現他們有些人看起來沒有明顯的問題，卻持續做出破壞性的行為跟找麻煩，而且不覺得可恥。他們對其他人和世界的看法展露出掩蓋不住的情緒缺陷，而這些情緒正是人之所以為人的重要判準。克勒利做出結論，心理變態的獨特之處在於他們無法「了解一般人眼中生活的意義」。

目前，評估和診斷心理變態的國際最佳標準是「心理病態檢核表修訂版」（PCL-R），於一九九一年由海爾博士（Dr Robert Hare）發明。PCL-R 經過精密研究，能測量個人展現出心理變態二十個基本特質的程度。PCL-R 評估非常複雜，必須由受過專業訓練並有適當資格的心理學家來進行。在多方面談和檢驗檔案資訊後，才能打出分數。

PCL-R 總分為四十，得到三十分以上，就足以正式冠上「心理變態」的頭銜。如果你得到三十五到四十分，就連人魔漢尼拔要約你吃晚餐，可能都會躊躇不決。PCL-R 提供心理變態程度的計算尺，除了聖人外，所有人都可能在量尺的某個刻度上。普通的罪犯得分在十九到二十二之間。像我這樣循規蹈矩的公民，在 PCL-R 上得到四分。

讀者可以從下表看出分數怎麼算出來：

隔壁鄰居在「心理變態檢核表」上可能得到的分數

得分	鄰居做的變態事
0	隨時托著一盤自己烤的杯子蛋糕來訪
2	眼睛總盯著你的餅乾罐
5	常常把車子停在你的車道前
7	即使鄰居在家，你也會幫他們的植物澆水
10	跟你的伴侶發生婚外情
12	你的牛奶和星期天的報紙很少出現在你家的門口
15	不管你在不在家，都會自己進來，看你的電視、從你的冰箱拿東西吃、睡在你的床上……
17	朋友拒絕到你家玩：上次來訪時他們車子的輪胎被割破了
20	鄰居勸你投入畢生積蓄買下的度假住所所有權，最後只是一場空
25	你的狗死了，屍體在人行道上

30	……過了兩星期，你的貓也死了
35	你的伴侶躺在人行道上，身上有刀傷
40	不見的屍體被鄰居藏在露台下

在實務中，PCL-R 把心理變態的界定特徵分成兩大主題：人格特質和異常的生活型態（見第三十一頁）。必須同時擁有生活型態和人格的特質，才算是心理變態，不過每個人的組成方式都不太一樣。

心理變態者心中的情緒早已耗竭，但其他人得努力觀察才能看得出來。心理變態無法體驗到情緒的細微變化或深度；若有感覺，也只是回應當下的欲望和需求，短暫而原始。因此，他們鮮少能透過同理心，了解周圍其他人的感覺；他們漠視旁人的權利或福利，把其他人看成單純的物品，興致一來就隨意玩弄。但心理變態的人格能夠把冷酷掠奪的本性藏在活潑迷人的面具下。心理變態會很快注意到其他人反應熱烈的事物，模仿正常的情緒和老練的騙子時不露一絲痕跡。他們一向很有自信，妙語如珠，看起來很健談，但他們口中的軼事經不起細細查看。他們的奉承很吸引人，但不誠懇。跟心理變態在一起，他們的魯莽和衝動或許會讓人很興奮

（「來狂歡吧！」），但不要多久，他們的自信很容易走味變成盛氣凌人，要有什麼不合他們的意，你只想盡快逃走。心理變態覺得，不論代價為何，他們都有資格事事順心，受人批評或覺得挫折，便很容易失控和大發脾氣。就像寓言中的蠍子，本性就是要利用和傷害願意屈服的人，即使在這個過程中常常不小心作繭自縛。他們的自尊心絕不容許他們承認：心理變態會把問題怪在所有人頭上，或責怪所有的東西，但絕對不是他們自己。

心理變態並沒有典型的社會階級或背景，但他們選擇的生活方式則有共同的主題。在別人口中，他們有可能從一開始就被稱為「家族中的敗類」，一輩子不守規矩，違規、說話不算話、傷別人的心。心理變態多半不擔憂未來，寧可耗費精力去追求新鮮跟刺激。帳單沒付、失業或甚至被強制驅離都不會讓他們睡不著，活得像寄生蟲，仰賴別人的財務支援跟貢獻，他們就滿足了。他們的人際關係很緊張，僅限於表面。他們不懂什麼叫忠誠，榨乾了別人的禮物後，就立刻去找下一個可以壓榨的對象。許下的承諾不太可能貫徹始終，也不會為未來做打算。不管是誰都可以當成性交對象，反正不重要，只是拿來達成目標的手段。

心理變態檢核表中的項目

	生活型態因素：		人格特質：
	多段短暫的同居關係		能說會道／外表迷人
	青少年犯罪		自我吹噓
	犯法／企圖違誓脫逃		說謊到病態的程度
	反覆犯罪		詐騙／操控他人
	需要刺激／容易覺得無聊		毫無悔意或罪惡感
	依賴他人過活		虛偽的情感
	性生活淫亂		無情／缺乏同情心
	早期的行為問題		拙劣的行為控制能力
	缺乏實際長期的目標		容易衝動
			不負責任
			無法為自己的行為負責

心理變態的特質和好幾種人格障礙的診斷準則重疊。PCL-R 上列出的人格和自戀性人格疾患的相同之處特別多，因此我們很容易把心理變態和自戀狂看成近親。人格障礙會讓你對自我、他人和狀況的看法都相當死板、狹隘、扭曲，影響你的人生觀。自戀狂跟很多心理變態一樣，自負到了可怕誇張的地步；他們很傲慢，把自己的才能、成就和關係放大到公然說謊的地步。他們愛做白日夢，夢想自己很有名、很富裕、很成功。自我中心到了極點，無法接納別人的感受或需要，認為別人比自己低下，很容易利用。自戀狂跟心理變態一樣，如果自我知覺受到挑戰，他們會大發雷霆。然而，雖然有相似的地方，自戀性人格患者不會像心理變態那樣違反規則；他們認為自己超越了法律，但不像心理變態可能出現反社會的行為，或反社會到了無可救藥的地步。雖然他們常會心生嫉妒和瞧不起別人，卻不會用卑鄙手段算計其他人。有些人說心理變態是「侵略型自戀」，來傳達兩種狀態很相似，也強調心理變態更黑暗、更冷酷、更刻意的那一面。

根據診斷標準，下面特徵若符合五項以上，就是自戀性人格：

1. 妄自尊大得不得了，比方說，會誇大自己的成就和天分，期望得到的賞識超越自己實際的成績。

2. 一心幻想能無條件享有成功、權力、才智、美貌或完美的愛情。
3. 相信自己很「特別」，獨一無二，只有其他特殊階級或地位崇高的人士（或機構）才能了解他們，跟他們有關係。
4. 需要過多的讚美。
5. 有種特權意識：不合理地期望別人給予特別優惠的待遇或自動迎合他們的期待。
6. 剝削其他人，利用別人來達到自己的目的。
7. 缺乏同理心：不願意理會或認同別人的感受和需要。
8. 常常嫉妒別人，或相信其他人嫉妒自己。
9. 表現出自負傲慢的行為或態度。

同樣地，PCL-R 中的生活型態項目和反社會人格疾患有密切的關係。《精神疾病診斷與統計手冊》描述此類患者會反覆表現侵略性、工作做不長久或無法好好管理財務，不斷犯法且不知悔改。坐牢的人接受診斷後，結果多半是反社會人格疾患，但這不表示他們都是心理變態，因為他們還得展現出心理變態其他強烈的人際和情緒缺失。

要夠格稱得上是心理變態，必須有：犯罪紀錄可以媲美「克雷兄弟」（譯按：發跡於倫敦東區的著名黑幫雙胞胎首腦）；尚未成年就已經被逮捕很多次；法庭和感化服務都拿他們沒辦法，設下的限制也讓他們不屑一顧。雖然一長串的前科一定會讓 PCL-R 分數提高，但並不一定表示最終診斷結果是「心理變態」。即使這樣的罪名清楚證實符合一半以上的 PCL-R 項目，組合卻可能有無限的變化。並非所有的心理變態一生下來就一樣，光是少了一兩樣特質也不表示他們就不是心理變態（比方說，你遇見某個不事生產的人，但其他地方都很平常，他就不算心理變態，只是依賴別人生活）。

界定心理變態的心理構成會讓他們一生自然脫離不了犯罪，也因此具備犯罪的能力。心理變態坐牢的機率是一般大眾的十五倍，這個數字應該不會讓人太驚訝。在刑事司法體系中工作的人都很關切心理變態的問題，因為他們的犯罪率高過其他族群，罪行的種類也更加廣泛。和非心理變態罪犯相比，他們暴力犯罪的傾向更嚴重，也更有可能犯下其他侵犯性或威脅性罪行。心理變態的暴力本質也和其他常見的罪犯不一樣；比較冷血、事先擬定計畫、侵略性強，動機來自社交或財務利益，而不是「激情驅使的犯罪」。雖然心理變態常常犯法，但他們也可以選擇其他的生活型態。

所謂「成功的」或「無臨床症狀的」心理變態是個自成一格的群體，並未選擇明顯的犯罪生涯。有可能他們特別聰明或受過良好教育，不像典型的心理變態那麼隨性，並能培養出非常圓滑的社交技能，想辦法躋身眾人能接受和信任他們的社會階層，比方說當律師、股票經紀人或甚至心理醫生。其他的心理變態或許會遊走在法律邊緣：他們的行為或許不完全合法，但若有人不幸跟他們打起交道，就必須忍耐他們的邪惡行為，還有可能遭受嚴重的傷害。剩下的就是還能逍遙法外，狡猾地想辦法去操控、霸凌和嚇唬近親、朋友、同事和夥伴，讓大家對他們的不端言行噤若寒蟬。這些成功的心理變態在 PCL-R 上有可能得到二十五分或接近三十分。

常常進出監獄的心理變態一眼就能看出來。但正如克勒利指出，有些心理變態「表現出更好、更始終如一的外在」。舉個例子，我的一個合夥人搬新家，那天在社區放垃圾桶的地方，有人發現了一具支離破碎的屍體。原來她買的公寓隔壁住了一個殘酷成性的殺人凶手。想當然耳，鄰居都嚇壞了，社區裡居然出現這麼可怕的事情，想到離自家門口不遠的地方發生的殘暴場景，晚上一定睡不著。很多人都說，他們一直覺得第三棟大樓的那個人「全身上下貼滿心理變態的標籤」。同時間，我認識的那個人欣然接受媒體的關注，時而擺上滿臉驚恐的表情，看到電視新聞採訪人員就湊上去提供誇大其詞的訪問內容。奇怪的是她完全不評論死者遭逢的悲劇，完全不提我們所在的世界有多可怕。事實上，她私底下只說過，警方的調查害她搬家的速度變慢，她覺得很惱怒。更糟糕的是附近的房價可能會下跌。跟鄰居聊天後，她想辦法挖出死者的身分，去參加喪禮，並不是為了致哀，而是偷拍棺材和親友愁苦的面容，之後去找報社，想要賣出照片。結果，沒有人想買照片，但她輕鬆愉快地告訴我，那天不算浪費時間，「起碼自助餐還不錯」。不管殺手的心理狀態為何（我猜他的問題不只是心理變態而已），在我看來，他離開社區的那天，另一名比較不危險的心理變態搬進去了。

你身邊的心理變態比較有可能是這一類披著羊皮的狼，也是本書要討論的焦點。如果你的男友剛犯下第八十九項罪行，被判終生監禁，用頭撞他的辯護律師，要送入牢房時還騙走你的錢包，那你不需要看書，就該知道哪裡出問題了。

古怪事件：大垃圾箱裡的貓咪

二〇一〇年八月，監視器錄下瑪莉貝爾偷偷把鄰居的貓咪洛拉丟進大垃圾箱裡。大眾譁然，YouTube 上的短片觀看次數高達數百萬，結果出現了「瑪莉貝爾，全英國最邪惡的女人？」這樣的報紙頭條。

雖然眾人強烈譴責瑪莉貝爾的暴行，警方卻過了一陣子才決定她是否有罪（答案是肯定的，後來英國防止虐待動物協會提出告訴，在她承認虐待動物後罰了兩百五十英鎊，還要支付一切訴訟費用）。不管合不合法，她奇異的行為是不是心理變態？顯然出自衝動——瑪莉貝爾說她「突然覺得這樣會很好玩」，就把可憐的小貓丟到垃圾箱裡——對洛拉和她的主人一點同理心也沒有。沒有人發現洛拉在垃圾箱裡，一直到第二天早上過了十五個小時後才意外被發現。瑪莉貝爾一開始時的回應（「不過就是隻貓」）感覺頑固不化，態度似乎是「有什麼好大驚小怪」。受到公眾責怪後，她才道歉，說那樣的行為「完全不符合她的個性」。

當然，一次可疑的行為並不表示那個人一定是心理變態。除非瑪莉貝爾有多次類似的虐待紀錄和不必要的行為沒被錄下來，她其實不太顯眼。若沒有公眾的回應，她的故事也不會那麼引人注意。後來的幾個星期內，瑪莉貝爾收到死亡威脅、群眾要求她的雇主解雇她、網友在網路上輪流表達憤怒和憎惡。這次的古怪事件告訴我們，若有人違反有形或無形的道德規範，我們很難適應。

女性也有可能是心理變態

美國心理學會估計，總人口中，男性有大約百分之三是心理變態，女性則有百分之一。心理變態的女性在 PCL-R 上，人格的得分通常會超過生活型態的項目，因此比較有可能屬於「成功的」心理變態，能夠逃過雷達偵測。雖然心理變態的研究快速增長，到目前為止大多數研究的對象都是男性，因此本書中多半用「他」指稱心理變態，比較少用「她」。

心理變態有辦法治療嗎？

一句話，沒辦法。心理變態沒有「治癒的方法」，患者對一般的加害人療程可能沒有反應。真要說到成效，心理學家發現傳統療法可能還會出現反效果，讓心理變態能更有效地操控別人（因為他們學到該說哪些別人愛聽的話）。要治療此類患者，特定的指導方針已經出版了，重點在於說服心理變態者相信行為改變後有什麼好處，並發展技能，讓社會大眾更願意接納他們，而不是想辦法改變他們根深柢固的人格結構。研究人員還要等好幾年，才能確定這個策略是否真的有效。

心理變態者的大腦

有人相信心理變態是由特定的神經疾病造成。雖然研究結果並未顯示心理變態就此而論等於腦部受損，但心理變態者的大腦的確看起來跟非心理變態的人不一樣。舉例來說，透過神經造影術，我們看到當心理變態者在處理可以表達情感的字詞時，腦部活躍的區域跟正常的對照組不一樣。旁邊緣系統（paralimbic system，一組互相連接的腦部區域，負責自我控制和情緒處理）中的「電線短路」可能特別明顯。證實心理變態者的大腦跟常人不同後，某些科學家和律師因此認為他們不是「壞人」，而是「弱勢族群」或甚至「殘障人士」（所以他們的罪行也應該有更大的容忍空間）。也有人持完全相反的意見，他們認為心理變態本質上是生理問題，因此提出更具爭議的想法，認為就算心理變態尚未犯罪，也該接受鑑定，拘留起來。

反社會人格和心理變態的差異

除了心理變態，你可能也聽別人提過「反社會人格」，但兩者並沒有實際的差異：兩個說法可以互相替換。大致說來，反社會人格的原文是美國的用語，所以心理變態者過了大西洋就變成反社會的人。

「反社會人格」這個術語有兩個起因。第一，由於有些心理學家覺得「心理變態」跟「精神病」太過相似。一說到「精神病患」，大多數人會自動想到希區考克電影裡的貝茲，那位開汽車旅館的殺人魔。這部電影雋永深刻（緊張地猛然拉開浴簾，每個人都有同樣的經驗吧？），導演的手法不知怎地把一個戴灰色假髮、身著老奶奶洋裝的男人變得好可怕。但可憐、遭人誤解的貝茲先生患有精神疾病，電影的名稱（根據同名小說改編〔譯按：片名是《驚魂記》，原文*Psycho*〕）其實是指他有精神病，而**不是**心理變態。精神病患者一言一行都受到錯覺和幻覺的影響。貝茲先生可能有多重人格障礙，顯然自己也很苦惱（「噢，母親……天啊，母親，不要啊—）。但心理變態者對現實沒有扭曲的觀念，他們很少因為他們對待別人的方法而內心大起衝突，更不可能碰到良心的危機。

第二，有些社會心理學家相信家庭環境和愈來愈心理變態的社會，都是創造出心理變態的原因。他們覺得反社會人格更強調了他們的信念，除了這種狀況的起源，還有相關的特質會對整體族群帶來傷害。

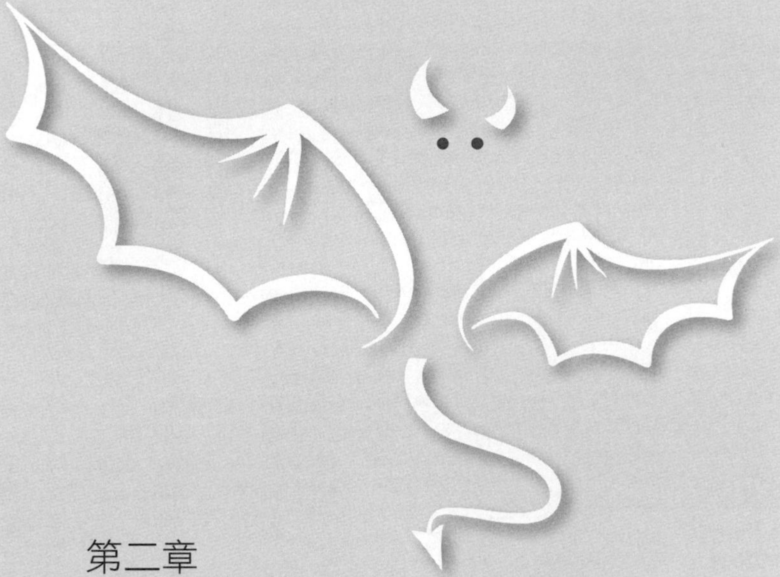

第二章

你的同事是不是心理變態？

你隔壁的辦公桌或許就坐著心理變態的同事。他們可能會偷你的錢、駭入你的電腦或跟老闆說你的壞話。或者他們每天都約你吃午餐，讚美你是個好朋友，表揚你上次做的簡報。不論如何，他們都想利用你，好讓自己獲益。心理變態的同事沒有團隊精神。他們會在辦公室裡尋找可以利用的對象。如果他們和你交朋友，那是因為他們看到有利益的地方，讓他們覺得做這份工作更有價值。

如果有這樣的同事，你需要保持距離。他們會利用別人的順從並加以操控，幫他們爬上事業的階梯。這個階梯上有一些心理變態。熟悉心理變態的專家估計，除了罪犯外，企業環境中的心理變態人數比其他地方都來得多。

之前我在格拉斯哥一家小小的建築師事務所上班。公司裡連我在內只有五名資深設計師，包括經營公司的夫妻檔山姆和艾拉。另外就是一群實習生、新進設計師和辦公室助理。雖然事務所不大，我們的名聲還不錯，做得非常成功，總有不少客戶。因為我們負責建築專案管理，客戶透過我們經手的數額頗大。流過公司帳戶的錢有可能高達幾十萬英鎊，用來付款給建築商、室內設計師、建築材料商等等。而我們收的費用占的比例最低。

業務增長後，山姆和艾拉有時候沒辦法及時處理所有的行政工作，因為他們自己也有案子要忙。還好，我們很幸運，我們的辦公室助理茱迪非常能幹。茱迪四十多歲，一臉媽媽樣。或許這就是我們很喜歡她的原因，我們來往的都是時髦幹練的城市人，相較之下茱迪好相處多了。需要傾訴心事的時候，她總願意聆聽，零食盒裡也有源源不絕的餅乾。她工作的時間很長（我們都要加班），我們可以靠她想出提振士氣的方法。比方說到了週末，她會準備幾瓶啤酒，讓大家慶祝假期的到來。

她的效率也很高，絕不寬待自己。她才來幾個月，就把所有的帳務檢查了一次，要山姆和艾拉開不同的銀行帳戶，處理客戶的款項也變得更簡單了。一開始時山姆有點猶豫，因為茱迪並不具備會計師資格，但艾拉堅持要聽她的話。畢竟年底的時候他們會找會計師來處理稅務問題，一般時候只要管好客戶的錢就好了，如果公司裡有一個他們可以完全信任的人，那就是最好的解決辦法。

全部交給茱迪負責後，大家都鬆了一口氣。客戶也都很喜歡她，不久之後他們發現，只要打電話給茱迪，告訴她錢要進來了，就不用去打擾山姆和艾拉了，感覺更輕鬆愉快。供應商也喜歡直接跟茱迪打交道，因為她一定搞得清楚什麼是什麼，能夠很快處理他們的需要。每個星期茱迪都應該要跟山姆和艾拉報告，說明整個星期的交易和需求，不過星期五開始舉辦啤酒之夜後，他們也不開會了。但是艾拉每個月至少會跟茱迪對帳一次。問題是，一開始雖然討論到工作的問題，之後話題卻改變了。

然後，辦公室內開始出現了煩人的瑣事。有一次山姆和艾拉不在，茱迪來找我，要我簽一份表格，讓她有權批准所有的開銷，不需要通過公司負責人授權。她說山姆和艾拉已經同意了，只是忘了在度假前把程序處理好。我說我沒辦法簽名，但等山姆和艾拉回來後，我很樂意和他們開會討論。她只說「當然」，然後就離開了。再過幾個星期她就被逮捕了，我才想起來她從未安排這樣的會議。

然後有幾家供應商打電話給山姆和艾拉，宣稱他們一直沒收到款項，而茱迪卻說已經付了。一開始我們還以為是銀行出錯。但有位客戶打電話來，說茱迪打電話去她家，要她提早兩個星期支付建築材料的費用；這時我們心中的警鈴突然大作。山姆和艾拉花了一個週末的時間檢查所有的帳務和銀行對帳單，結果大吃一驚，茱迪竊取公司的錢已經有兩年的時間，這裡挪五百英鎊，那裡挪兩千英鎊，加起來大概有數萬英鎊。茱迪到法庭受審時，我們才發現她到職兩個星期就開始詐騙了。我們相處得還不錯，我們真的很相信這個人。

建築師傑克，曾為心理變態受害者

茱迪是個典型的職場心理變態。一開始或許你會覺得很奇怪，她不像你心裡以為的典型騙子。第一，她不是男人。她給人媽媽的感覺，而不是穿著合身套裝，表現得很精明。她工作的事務所很小，而不是什麼大型企業，後者更容易讓心存惡意的人躲在裡頭。博學且聰穎的心理變態確實很有可能選擇大型公司來玩他的遊戲。這種心理變態會有選擇性地討厭工作；他們不懂為什麼要費自己的力氣去做對自己沒有直接利益的事情，反正周圍有人去做就好了。很多心理變態偏好大型組織，因為大公司比較有機會提供平步青雲的機會和引人讚嘆的頭銜，帶來權力和金錢，也有更多下屬可以操控和虐待。

> 商業世界中的自戀狂人數比罪犯更多。海爾博士曾說，如果他不能在監獄中研究心理變態，他會選擇股票經紀人或電話行銷人員當作研究對象。❶

但茱迪很聰明。她懂得利用自己充滿母性的外表，在小公司找到工作，因為溫暖親切是小公司找人的先決條件。利用熱情的聲調和贏得人心的微笑，只要能騙過老闆，公司其他人也會跟著言聽計從。她的餅乾盒和具有同理心的表演（別會錯意，她只是在演戲）讓同事們不會密切監督她的工作。也就是說，她知道別人最不可能懷疑她。

此外，茱迪獨立作業。她的部門裡只有她一個人，沒有別人監督她日常的活動，真是太完美了。茱迪似乎展現出巴比亞克（Paul Babiak）和海爾在著作《穿著西裝的蛇：心理變態上班去》（*Snakes in Suits: When Psychopaths Go To Work*）中描繪的心理變態工作者具備的典型特質。有職業的心理變態比一般心理變態更沒有目標，也更能控制自己，為了達到自己的目的，他們會（冷酷地）找到三個標靶：小兵、贊助人、替死鬼。

「小兵」指他們身上有些東西是心理變態的目標。在茱迪的案例中，小兵是客戶，還有簽名能幫上大忙的傑克。但擁有保險箱鑰匙的人並不一定是心理變態的小兵。能看到執行長行程安排和通訊錄的助理也是目標。或者大家都知道的辦公室八卦權威，能幫心理變態散播「好話」，讓大家相信他們有不錯的名聲，不會追根究底，此外還能提供必要的資訊（「如果你找珍喝紅酒，她什麼都會告訴你。」「聽說鮑伯快要被開除了，再錯一次他就要滾蛋了。」）。或者資訊部員工跟某人（心理變態）變成好朋友，星期五下班後去酒吧喝一杯，心理變態就要資訊部員工幫忙駭入老闆的電子郵件信箱（「沒關係啦，我只是要幫他處理一些事情，要是星期一他來上班的時候發現我還沒弄好就糟糕了。就當是幫朋友一個小忙，行嗎？」）。

「贊助人」大權在握。在茱迪的案例中，山姆和艾拉就是贊助人。除了是公司的老闆，他們也是茱迪的啦啦隊。如果山姆和艾拉覺得她沒問題，那麼相關人士（同事、客戶和供應商）

也都會覺得她沒問題。在規模更大的企業環境中，贊助人可以是有能力幫心理變態加薪的中階管理人員，也可以是能幫心理變態升職的人事部經理。

「替死鬼」則只是心理變態的炮灰。辦公室裡的心理變態會踩到替死鬼頭上，好讓自己往上爬，看來茱迪已經認定，要是出了什麼財務漏洞，就把那些比較散漫的供應商推出來當擋箭牌。碰到麻煩的時候，替死鬼一定是責怪的對象。他們可能是眾人踐踏的底層管理人員，不斷策畫永遠沒有進展的系統，或者一直無法升級，也是嘲弄或惡作劇的對象（見過故意被弄進果凍裡的釘書機嗎？〔譯按：影集《辦公室瘋雲》（*The Office*）英國版裡作弄同事的橋段〕。）

心理變態同事的七大徵兆

或許他的辦公桌就在你隔壁。除非你很看不起上司，不然你會假設這人能坐在這個位置，他一定有些可靠的憑據：某種教育程度、深厚的專業知識、有相關經驗、還不錯的一兩封推薦函。

第一個徵兆

如果工作內容的關鍵字看來時髦，且容易投機，例如「領導能力」和「人員管理」，而不是沒有變通餘地、必須具備證照等資格，心理變態會覺得這種工作更容易獲得很高的職位。他們的履歷表會著重籠統的個人特質，比較容易美化，而且更難量化。他們極具說服力的個人魅力就是他們的武器，因此能輕而易舉的錄取。口中說出的話在溝通的比例上還不到百分之十，心理變態知道他們說什麼不重要，怎麼說才重要。在面試的時候，他們會留下美好的印象，除了握手的力道穩當，讓人覺得安心，也充滿自信與權威而且流利吐出現在最熱門的行話，但實際上他們說的都是些空話。一腳踩進公司大門後，他們便很少受人質疑；同事會自然而然假設，能通過聘僱程序的人一定能勝任愉快。

我們周遭的文化可能會壓抑或助長某些人格面向的發展。❷一般來說，英國的心理變態跟美國的很像，但美國的心理變態在 PCL-R 測量傲慢和魅力的項目上通常得分比較高。❸直接比較蘇格蘭跟北美洲的心理變態時，我們發現蘇格蘭的心理變態整體而言，表現出程度比較低的心理變態特質。❹但這不表示來自蘇格蘭高地的心理變態跟其他不穿蘇格蘭裙的同類有太大的差別；他們只是缺了能言善道、迷人的表面功夫。畢竟，要讓蘇格蘭人祝你有美好的一天，根本是天方夜譚！

新同事第一天到任，有可能上司要你帶這位閃耀的新星到處看看。當然，被指派帶領新人，你覺得很高興。新人似乎很想跟你親近，感覺更棒了；看來他認為你在辦公室裡還算是一號人物，在幸運之神的眷顧下，說不定他熱愛的足球隊跟你一樣。或許，你決定要用你的智慧來照顧這位同道中人，除了指點文具櫃和主管洗手間的位置，還告訴他一些重要的細節。比方說，哪個打字員最有效率，要包銷的費用有點不符合規定時該找哪位主管簽字，甚至還告訴他在員工餐廳打菜的珍妮給的分量總是比較多。

第二個徵兆

心理變態奉承別人的時候，不僅說服力強，而且不著痕跡。他們會馬上對你做出評估，和你結盟，找出你潛在可以利用的價值。找到目標後，他們會刻意反映那人的興趣，讓對方誤以為找到了知音。我們常聽到被心理變態詐騙過的人事後很難過地說：「我以為我交到了真心的好朋友，我們有好多相似的共同點。」

為了謀生，連續殺人魔也得找份正式的工作

☆希普曼（Harold Shipman）：醫生，據信殺了約兩百五十個人。

★邦迪：律師，在受審時擔任自己的辯護律師，曾在自殺防治熱線工作；殺了約三十六名年輕女性。
★蓋西（John Gacy）：掌理一家很成功的公司，也是業餘小丑；專門謀殺年輕的男同性戀，並把屍體埋在自家底下。
★賴特（Steve Wright）：堆高機駕駛，謀殺了五名女性，外號是「伊普斯威奇開膛手」。
★瑞奇威（Gary Ridgeway）：工業卡車噴漆工人；謀殺了至少四十八人。
★尼爾森（Dennis Nielsen）：公務員；謀殺分屍了十七名男性。

你要小心。每個人的電腦都有密碼（雖然資訊部門幫你設好初始密碼後你還沒來得及換）。在消防演習或外出午餐時，不要把皮夾留在桌子上，皮包也不要隨意丟在桌子底下（然而，如果你只是快速去廁所或餐廳一趟，應該不用擔心這個問題，如果你要到別的樓層開會，當然不會隨身攜帶皮夾或手提袋）。

第三個徵兆

心理變態會快速翻查你的辦公桌，或當你不在座位上時，偷偷進入你沒有密碼鎖定的電腦，想查出你有哪些人格弱點，心理變態會因此快感十足。心理變態想要知道你對他們有什麼用，因此他們不像一般人會尊重隱私或人際界線。手提包、辦公桌的抽屜、電子郵件帳戶或甚至你手機上的訊息，他們想碰就碰，對他們來說，沒有什麼區域是神聖不可侵犯的。

姑且幫這位新人取個名字叫羅柏吧，他適應得很快。但是你覺得很懊惱，才不到幾個星期，你就發覺他再也不找你一起吃午餐，反而一個星期和公司的總機小姐共進午餐好幾次。

第四個徵兆

你萬萬想不到同事會對某個人有興趣，還因為這人的緣故突然忽視你，但也不用驚訝。企業裡的心理變態目標除了有力人士之外，還有那些能接近權力核心的人。在前面提到羅柏的案例中，他發覺到總機小姐的「小兵潛能」，想從她那裡套出老闆的一些重要對話，以及哪些人常常打電話來。

（你不想八卦，但你不由自主地注意到他跟總機小姐午餐回來後，兩人似乎都頭髮凌亂、衣衫不整……）

第五個徵兆

引誘只是心理變態獲得權力的另一種手段，「禁止辦公室戀情」的規則不在他的考慮範圍內；他認為和部屬上床是一項工作福利。羅柏和總機小姐發生性行為——但她只是羅柏當月風流冊上的一筆紀錄。

然後，部門經理不在辦公室的時候，他自願擔任部門會議的主席。過了不久，他開始常常提到董事長的名字——羅柏還寫了電子郵件給他，內容是一些很錯綜複雜的概念，討論公司該如何擁抱新科技。看來羅柏很快就要升職了。

第六個徵兆

變化會讓心理變態非常興奮，他們很懂得採納新科技，或看似很懂，好讓自己看起來像個成功的企業人士，走在流行的尖端；尤其當大家都不懂這些新奇的玩意，他們就能侃侃而談，不用擔心聽眾提出太多艱難的問題。不說讀者也知道，企業裡的心理變態工程師離開或轉換部門的頻率相當規律，通常是因為他們在目前的工作上讓高層留下了不錯的印象，而得到晉升。此外還有一個原因——他們發覺曾被自己踩在腳下或苛刻對待的人開始聯合起來準備「反擊」，因此，他們急需脫身。他們知道自己只能舌燦蓮花，沒有真材實料，很快就會被戳破。羅柏提議部門採取更先進的工作方式，令上級讚嘆不已，但他的提議最後落入一團混亂，當他正在享受更高的職位和薪水時，他之前的上司卻得背負辦事不周的聲名。

有一天，老闆召集所有的員工：最近時機不好，老闆要求大家放棄年度加薪；唯有如此，公司才能存活下來。沒有人能拿到分紅，花費也不能報銷。聽了壞消息之後，你決定咬牙承擔，畢竟外面的工作不好找，留下來至少還有薪水。

但你很驚訝，羅柏完全無法承受。他怒氣沖沖地跑到老闆的辦公室裡，你們聽見大吼大叫的聲音，出來時滿臉怒容。上司終於走出辦公室，臉色蒼白渾身顫抖：除了跟羅柏口角大傷尊嚴外，他剛剛才發現羅柏報了不少費用，還說服董事長，不知怎地批准提早一個月發獎金。公司的情況已經很糟糕了，羅柏的做法更是雪上加霜。但太遲了。從那天起，羅柏音訊全無。

第七個徵兆

心理變態不懂企業倫理，你說「為了公司好」的時候，他們不懂你在說什麼，你也絕不會聽到他們說「在團隊中沒有『我』」。他們覺得忠誠等於「輸家」。如果得不到自己想要的東西，或者被打敗了，他們只會不顧一切立刻脫身。現在羅柏沒辦法報銷高額的費用，也拿不到獎金，因此他無意繼續這份工作。羅柏的詐欺行為在不經意中洩露出來，你覺得很驚訝嗎？不需要大驚小怪。別忘了，心理變態的個性很衝動，不論如何，羅柏那閃閃發光的履歷表上又有了新的素材。

通常沒人會大驚小怪；甚至還會有人幫羅柏寫好還算像樣的推薦函。畢竟，董事長不想承認他被羅柏的能言善道和圓滑魅力迷惑了。沒有其他工作的話，不久羅柏就會到處面試，用充滿自信的言語打動其他人。

提供專業服務的跨國公司資誠聯合會計師事務所（PWC）自二〇〇三年以來，每兩年就調查一次全球經濟犯罪的情況，一共有五千多家公司報告員工犯下的財務詐騙，以便提供全球規模的企業犯罪局面。因此，資誠列出了給企業的建議。他們認為，管理階層必須要留意出現下列狀況的高層人員：

★參與的活動看似與誠實搭不上關係（常去看豔舞表演，從交際費中支出大筆費用去購買古柯鹼，或許代表此人不夠廉正——但我們常聽別人說，這些類型的娛樂活動在大型公司中很常見，甚至上級也鼓勵用這一類活動去「拉關係」）；

★很想做投機生意，或接受高得不尋常的業務風險（但是……最有利潤的生意通常要面對最高的風險。比方說避險基金，明確要求投資人能夠接受「高到非比尋常的商業風險」）；

★難以順從規定或法規（雖然過分熟悉政策和程序手冊的人很有可能被標成「循規蹈矩」，或者「麻煩製造者」）；

★碰到審計人員時，藉口很多、不配合或破口大罵（但碰到審計人員時，沒有人臉色會好看吧？）；

★缺乏良好的紀錄（很可惜，這一點無法幫你識別心理變態；捏造推薦人這麼簡單的事情不太可能妨礙他們）。

這份清單雖然有用，但也可看出在企業環境中，有些可能造成問題的特質卻可能會帶來成功。或許這並不是PWC原本的目的。

李森，銀行因他而倒閉

一九九五年，李森（Nick Leeson）單槍匹馬，搞倒了霸菱銀行，他因此上了頭條，還得長期服刑。霸菱的損失高達八億兩千七百萬英鎊，為其資本額的兩倍，只得宣布破產。李森來自英國小鎮沃特福德，一九八五年從學校畢業後進入私人銀行庫斯（Coutts）擔任行員，最後有這樣的結果還算不賴。

英國女皇也是霸菱銀行客戶，一九九二年，李森在這裡只有三年的資歷，被指派為新部門的總經理，在新加坡國際金融交易所（SIMEX）操作期貨市場，而霸菱也是 SIMEX 董事會的成員。但未來會發生什麼事，是否有警訊呢？有的話，有人注意到嗎？霸菱會不會採取不同的做法呢？蘭斯理（Judith Rawnsley）的著作《孤注一擲》（*Going For Broke*）❺主題就是李森的醜聞，根據書中所述，去新加坡之前，李森申請經紀人的倫敦金融城交易執照，但申請過程出錯，所以遭到拒絕。被問到是否有對他不利的地方法院判決，李森回答沒有。但發給執照的證券及期貨管理局做了例行檢查，發現國民西敏寺銀行要求他支付兩千四百二十六英鎊，他仍未償還。證券及期貨管理局也通知霸菱銀行這件事情，但李森不久便前往新加坡，在遠東地區申請執照時對此事隻字未提。

警訊雖然不明顯，但很有可能意義重大，也就是說，有人錯過了這個警訊。

李森很快開始從事投機買賣，但他並未得到授權，在第一次付款時，交易支出為一千萬英鎊，在頭一年，霸菱的全球利潤有百分之十歸給他，除了五萬英鎊的薪水外，他拿到了十三萬英鎊的分紅，這筆數字可不小。

但好景不常。不久之後，李森不得不用霸菱的「錯誤帳戶」（用來修正錯誤的帳戶）掩蓋他的損失。損失愈來愈大，一九九四年末，已經高達兩億零八百萬英鎊。

根據報導，一九九四年十月霸菱瓦解後，李森在牢裡待了一晚，對著兩名女性秀出他的光屁股，霸菱把這件事壓了下來，不然這個故事就會出現在《國際金融評論》（*The International Financing Review*）❻的八卦專欄裡。霸菱得想辦法隱瞞員工的犯罪行為，雖然罪行不嚴重，卻應該要提高警覺，至少從那時候起就要密切監視這名員工。

最後，一九九五年一月，李森在日本股票市場輸了一大把。他決定逃走，留下失控的債務和一張紙條，上面寫著：「我很抱歉。」在逃一個星期後，他在新加坡樟宜機場遭到逮捕，被判刑坐牢六年半，服刑三年半後，由於健康狀況而提早出獄。

後來李森與第二任妻子結婚，在愛爾蘭的足球俱樂部擔任執行長，他出了幾本書，訴說他當「流氓交易員」的那段時間（有一本改編成電影《A錢大玩家》，由伊旺麥奎格主演），也固定在正式晚宴後發表演說。你可以到他的網站看看他的最新消息，他在網站上自承「利用了自己的經驗」。

或許他的自覺程度比我們想像的更高：二〇〇一年，他進入心理系就讀。

你知道誰是心理變態嗎？他能否在《誰是接班人》中脫穎而出？

閱讀下面的情節，根據你的判斷，幫有可能為糖糖爵士（Lord Sugar，英國版《誰是接班人》的主角）工作的新成員打分數：

分數	評量項目
0	你會很高興跟這位同事共用辦公桌和出外小酌
1	費心尋覓第一名
2	如果企業裡出現心理變態，就是他了

本季有四位參賽者，他們都是「值得注意的人物」：

1. **詹姆士．肯德爾**：英俊聰穎的詹姆士出現時總穿著合身熨貼的西裝。一口上流社會的口音，履歷無懈可擊，包括不錯的學歷、在聲譽良好的管理顧問公司工作了十年、升級的速度也很快。
2. **莎拉．希弗史密斯**：莎拉頂著專人吹整的頭髮，剪裁完美的套裝展現出纖細的腰肢，還有很多雙不得了的名牌高跟鞋。她從一流的大學畢業，也當過老闆，經營品牌顧問公司，去年以一百二十萬英鎊的價格出售。
3. **戴維．威契爾**：娃娃臉的大衛有一頭鬆軟的直髮，第一次拍攝前就已經變成製作團隊的寵兒。說起來他的西裝不算破舊，但似乎從沒送洗熨燙，還有點變形，因為大衛老愛把手插在口袋裡。他總有故事可以講，常提到很多古怪的瑣事，和別人打情罵俏時還會結巴，周圍的人都很喜歡聽他講話。他的履歷呢？沒有人記得清楚裡面寫了什麼，只記得第一次看到時覺得還滿厲害。

4.

珍·古德爾：便宜的窄裙和白襯衫是珍的正字標記。說到私人生活或家人的時候，她向來守口如瓶。但她很努力工作向上爬，把申請表寄給BBC（英國廣播公司）前，在前一份工作上升職為國外業務經理。

❶ 在BBC一開始的訪談中，受訪者被問到：「為什麼要選你參加這一季的競賽？」

(A) 詹姆士說：「因為我知道，這個節目開播以來，我是最好的候選人。其他人爭勝的意願都沒有我高。」

得分
0
1
2

(B) 莎拉說：「我能讓這個節目提升到更高的層次，糖糖爵士也能向我學習，畢竟我已經很成功了。」

得分
0
1
2

(C) 戴維說：「啊呀！你們不該選我吧，但我泡茶的手藝一流呢。」（然後他對著研究員眨了眨眼睛。）

得分
0
1
2

(D) 珍說：「我從十六歲起就努力工作，只為了這樣的機會，我絕對不會錯過。」

得分
0
1
2

❷ 拍攝開始後過了不久，參賽者受邀與糖糖爵士、尼克和凱倫（在節目中擔任糖糖爵士的顧問）進行非正式會面

(A) 詹姆士直接走到糖糖爵士面前，想跟他聊他們兩個都認識的幾位執行長。糖糖爵士不為所動，卻被詹姆士緊咬不放。

得分
0
1
2

(B) 戴維發現他跟尼克的兒子是同學，他們兩人的母親也有相同的名字。他告訴尼克他一直很仰慕他；尼克上《誰是接班人》賺的錢應該比糖糖爵士多吧？

(C) 莎拉悄悄走到凱倫身旁，問她一個問題，她的口紅恰巧是 Mac 的正紅色口紅 Really Red，對嗎？她猜對了，兩人絮絮討論美妝知識，凱倫非常開心。其他人在她面前都很嚴肅。

得分
0
1
2

(D) 珍向其他參賽者自我介紹，用心記下每個人的名字，想辦法了解他們最喜歡什麼，最不喜歡什麼。她的舉止有點突兀，沒那麼有魅力，有兩個人還故意誤導她。

得分
0
1
2

❸ 第一項工作出來了，參賽者要去早市買魚，賣給餐廳以獲取利潤。詹姆士負責領導。

(A) 詹姆士立刻回到《誰是接班人》宿舍，設立了臨時辦公室，派莎拉和珍去市場。接著打電話給公關公司，討論要用什麼方法來推廣新成立的賣魚事業。

得分
0
1
2

(B) 莎拉到了市場就負責領導，她要珍去每個攤位查看價格，而她自己則和市場的總經理喝咖啡。

得分
0
1
2

(C) 戴維恰好認識一名在高級餐廳工作的金髮主廚，告訴莎拉安排銷售事宜。然後他跟詹姆士和莎拉出去吃午餐慶祝，回來的時間也比平常晚。

得分
0
1
2

(D) 珍細細看過每個攤位的價格，買了倒數第二便宜的魚，全部賣給戴維認識的那位主廚（按照莎拉的吩咐）。

得分
0
1
2

❹ 在會議室裡，糖糖爵士宣布戴維、詹姆士、莎拉和珍都是輸家（原來，魚的品質很差，主廚拒絕完成交易）。

(A) 詹姆士說：「大家都告訴我，一定沒問題。為了這次交易，我盡全力宣傳。那家餐廳不買，是他們的損失。」

得分
0
1
2

(B) 戴維說：「哎呀！畢竟交易是我一手促成的，其他人只要檢查魚新不新鮮。他們真的讓我太失望了。」

得分
0
1
2

(C) 莎拉說：「要不是我，珍一開始還找不到市場在哪裡，更不用說去到那邊之後該做什麼。然後戴維也沒告訴我們他沒把交易談攏。」

得分
0
1
2

(D) 珍說：「賣魚的騙我。」

得分
0
1
2

❺ 這一季播到一半的時候，參賽者跟製作人員約好晚上一起出去玩，大家可以藉此機會輕鬆一下。

(A) 莎拉喝醉了，有人聽到她在女廁大聲謾罵其他的女性，然後強迫攝影師收下她的手機號碼。

(B) 戴維不斷給尼克和製作人喝威士忌和抽雪茄，讓他們無法脫身，不久他們就往賭場去，用製作人的BBC經費當賭注打撲克牌。製作人醉到沒人扶就站不住，戴維送他回家，還偷偷向他老婆拋媚眼。

得分
0
1
2

(C) 珍不肯喝酒，不到十點就回到宿舍，早早上床補眠。

得分
0
1
2

(D) 詹姆士買了一克古柯鹼，在廁所跟那位年輕漂亮的研究員快速打了一炮；稍早戴維私底下向他透露，那個女生很好釣。

得分
0
1
2

❻ 到了季末，我們的「主角」進入決賽。糖糖爵士在做決定前，先對參賽者做了總結。

(A) 「詹姆士，你很聰明，也有接班人的樣子。你的魅力讓你處處吃香，也很懂得做生意。

但我覺得你在唬我——我討厭別人唬我。」

得分
0
1
2

(B)

「莎拉，你很有氣勢，一眼看得出來。但是你太愛講話了，我覺得很煩。而且你自己已經很有成就了，所以我很擔心。你為什麼要來上節目呢？如果你以為你能反過來教我東西，那你就錯了，或許我是個老頑固，但新的東西我也懂。」

得分
0
1
2

(C)

「戴維，大家都很喜歡你。雖然我把你召到會議室的次數多到我都記不清了，尼克卻一直幫你講話。但我信任尼克，所以我也信任你。你讓我想起那種光靠著小聰明就能過日子的人。你常常讓我想起自己年輕時的樣子。」

得分
0
1
2

(D)

「珍，你工作非常努力。你想要出人頭地。我很欣賞你的態度。有時候你也不懂得何時該閉嘴，但你知道自己在說什麼。好吧，我覺得你不錯。」

得分
0
1
2

你認出誰是心理變態了嗎？

戴維是心理變態。他是企業環境中潛伏的危險，最為狡猾。他會迷惑能幫助他的人，盡可能避免工作，邋遢的西裝和結結巴巴的口氣掩蓋了他自大的本性。

詹姆士有可能變成級別很低的企業界心理變態。他懂得為自己打算，但他喜歡追求刺激且行為魯莽，有可能害了自己。

莎拉在 PCL-R 上可能會得一兩分，如果能用魅力迷惑別人，或許她會想要操控他們（不過會被她迷住的人並不多見）。

珍跟心理變態沾不上邊，她只是一心求取成功，想要改變生活，不過她很有可能變成辦公室裡努力工作卻不受歡迎的人，還得替別人頂罪。

結論和勸告

辦公室裡的心理變態是很奸詐的怪獸。他知道新同事會假設他很正常，是普通人，有適當的資格做這份工作。利用這一點，他會一邊跟你握手，一邊在你背後捅刀。你甘願變成他的小兵，自己毫不知情——提供他需要的資訊，讚嘆他的成就。踩著替死鬼往上爬，就算當不成老闆，他也會潛進老闆的辦公室。這場遊戲中的贊助人或許夠聰明，才能做到最高的職位，但也不夠聰明，因此遭人欺騙。此外，就算他們終於發現自己被騙了，很多人也不願意承認。心理變態可以拍拍屁股離開，尋找下一個受害者。

細讀過本章的內容後，你就看得出警訊。但你該怎麼辦？

★首先，絕對不要為同事貼上心理變態的標籤。這麼做等同於辦公室霸凌，而且於事無補。你應該跟其他同事建立並維護穩固的關係，心理變態想要干涉或操弄你，就沒有那麼簡單。

★熟讀公司的政策和做法，了解需要投訴時可以怎麼做。但不是雞毛蒜皮的事就去投訴，而是有重要事件發生時才投訴，高層才會更重視你的說法。

★做任何事都要光明正大，一定要告訴相關人士你在做這麼，所有文件和會議紀錄都要留檔備份（萬一出了問題，你才不會變成「代罪羔羊」）。

★如果有人對你好，你不一定要報答，忘掉所謂的互惠原則吧。聰明的心理變態明白這一點，也懂得如何利用。如果心理變態的同事告訴你機密資訊、有趣的八卦、秘密，或一些看似很敏感的私人訊息，回報以微笑即可，不需要覺得自己欠他一份情。

★避開辦公室裡的八卦閒聊。用自己的經驗去判斷其他人。

★如果你覺得部門裡有人光說不練，用審慎的方式要求他們有所表現（而不是講一堆言之無物的教條）。記下來，之後再做檢討。

第三章

你的老闆是不是心理變態？

在所有類型的心理變態中，最危險的應該是心理變態的老闆。除了能犯下種種罪行，身為老闆，他們能偽裝得天衣無縫：心理變態和非心理變態的成功企業領導人相比，有很多相同的核心特質。事實上，有些特質值得我們欽佩，因為要在商業領域成功，必須要有這樣的特質，但如果在別人身上看到，我們就得當心了。

心理變態的老闆或許是大企業的執行長，掌管公司的倫理以及對股東的責任。或者是自行創業成功的超級富翁，雇用很多人為他工作。不論如何，這位心理變態的行為會帶來的後果影響範圍很廣：公司有可能透過不誠實的政策汙染環境、對股東說謊，或者違反和員工的合約。

如果你發現你的老闆是心理變態，你們的公司可能滿成功的，但風險也很高。員工進去不久或許就能拿到額外的獎賞，尤其是在財務部門工作的人，因為心理變態的老闆會下很大的賭注，用贏來的錢支付員工。但你要夠清醒，不要把自身的財務安全全部托付給老闆。

我很榮幸能為大衛·溫納（姓氏 Winner 是贏家或勝者的意思）工作。當他的公司「勝者為王」雇用我的時候，我真不敢相信自己有這麼好的運氣。三十五年前，他開創了自己的小事業，從摩洛哥進口地毯，再轉賣給倫敦的大飯店——那時候他才十九歲。最後他買了一家飯店，在他的經營下變成生意很好的五星級飯店，並發展成跨國連鎖企業。他也買斷了一家小型媒體公司，現在營運的電視頻道有好幾個，此外，他還擁有三家雜誌社和一家報社。他在英國和國外都有房子，公司也贊助不少知名的活動。「勝者為王」的品牌能夠點石成金，他做什麼都會成功。你也應該看看他新任的配偶，年紀只有他的一半，美若天仙。

我受雇在他的辦公室工作，一開始負責雜務。我非常興奮。每天早上我都照著他的喜好幫他準備咖啡。有時我沒發現他改變主意要喝加了脫脂牛奶的摩卡拿鐵，而幫他泡了特濃卡布奇諾，結果惹他生氣，不過我不在意。像他這樣一個白手起家的億萬富豪要管理數千名員工，每天都有高額的商業交易，怎麼可能隨時隨地保持禮貌呢？如果有別人在，可能有點尷尬，但有時候他好棒。有一次我跟隨他去開會，他指著我對其他人說：「看到這顆閃亮的明星了嗎？我要給他一台車子當作獎勵，我們就是這麼好的公司。」然後他要我離開，去買一台小跑車。我當然沒買，我連信用卡也沒有，後來他也忘了這回事。我不想提醒他，但大家能看出他有多慷慨了吧？所以，當我們發現他用退休基金來支付所有的費用時，大家都嚇了一跳。我沒關係，我還年輕。但我覺得那些年紀大的員工很可憐，他們的退休金一毛也不剩，老了要怎麼辦？我不覺得這份工作浪費了我的時間；我有機會研究濫納。有一天，我也要跟他一樣成功。我已經開始賣地毯了。

前員工約翰，二十二歲

第一天到大衛．溫納的公司上班，他要我叫他的暱稱「戴維」。我是他的私人助理，派我過去的仲介曾警告過我，說過去兩年內他換了七次助理，但一開始我就被他迷住了。他的行程表排得滿滿滿，但每個星期他都會找時間帶我到附近喝杯飲料，詢問我的狀況好不好。我們會聊聊辦公室每個人的八卦，如果你當老闆的私人助理，會有很多人來找你抱怨老闆，但我對戴維忠心耿耿。然後，某個星期五的晚上，他鎖上了辦公室的門，取出一瓶香檳。他不知從誰那裡聽到我跟男友分手了，對我深表同情。過了不久，我就趴在他肩頭哭泣，然後我就糊裡糊塗地跟他發生了性關係。

星期一早上，我們兩個表現得很專業，似乎什麼都沒發生，但我們會定期發生親密關係。出了辦公室，他就不會跟我聯絡，不知為什麼我也不在意。他知道怎麼補償我——他常買給我一些小禮物。而我的回報則是三緘其口，當他的妻子打電話來，當然也不會洩露祕密。老實說，或許我也覺得很刺激吧。我知道戴維覺得很刺激。有一次，他知道打電話來的人是他太太，他把手伸進我的裙子裡不拿出來，等我把電話轉給他。之後有一天在女廁裡，我看到一個女生在哭。她在行銷部門工作，發現自己懷孕了。我說了幾句安慰的話，她叫我不要告訴別人，但那孩子是戴維的，他要她把胎兒處理掉。她不知道該怎麼辦。我大為震驚，所以，我一點也不特別。第二天我就遞了辭呈，從此再也沒聽到戴維的消息。

珍，前任私人助理

戴維和我是老同學，我跟他妹妹結婚了。他很愛嘲諷我是個書蟲，但我拿到了會計學文憑，然後就幫他做事。打從第一天起，戴維就清楚告訴我，我的職責是要確保他能賺錢。我學會了很多鑽稅務漏洞的方法。就我所知，這一切都不違法，只是有時候，如果交易高達數百萬英鎊，他會說我沒辦法處理，自己安排所有的細節。他有好幾個銀行帳戶，一個在瑞士，也有好幾個「企業夥伴」參與我們的董事會。我說過，一切都合法，但只要知道該怎麼辦，不列入紀錄的明細多到會讓人嚇一跳。他居然亂動退休基金，我知道這看起來很醜惡，但他只是從自己身上借錢，好接到新的生意。這些生意會讓他的財產遽增，然後他就能償還了。前一次生意沒有完成，只是運氣不好，誰知道俄羅斯的伏特加公司會破產呢？戴維人很好。他並不想讓所有的員工對他感到失望。他覺得很糟糕。他說等他服完刑期，他會親自聯絡每一位員工向他們道歉。

基斯，會計主任和妹夫

大多數人一整天都在辛苦、勤勉地工作，希望能保持低調達到目標、跟同事保持和諧，好保全自己的工作，或甚至能夠升職和拿到多一點點的薪水。我們分期付款買車，隨時注意貸款的情況。只有在買樂透彩券的時候，才會夢想有錢買私人飛機，飛到私人島嶼去度假。

有時候，我們希望夢想能夠成真——或許寫本暢銷小說，或許遠親去世後留下一筆遺產。但是在內心深處，我們明白真相：能賺大錢、住豪宅、一擲千金的人都敢瘋狂冒險。

布蘭森爵士（Sir Richard Branson）、川普（Donald Trump）、埃克萊斯頓（Bernie Ecclestone）、蓋茲（Bill Gates）和上面的平凡人主角溫納能擁有今天的地位，並不是靠著聽人命令或隨人拒絕。他們靠著大膽、狡詐、堅決的抱負和想像力，才能成功。他們夢想建造起自己的帝國，而且做到了。

上述幾位除了溫納外都不是心理變態，但很有趣，許多成功的企業家和心理變態擁有相同的特質。事實上，就算你不是統治世界、住在摩天大樓頂樓的億萬富豪，也可能和心理變態具有同樣的特質。資深的經理一般就有這些特性。

人格障礙能幫你在企業內升職？

英國蘇瑞大學的柏德（Belinda Board）與傅利森（Katarina Fritzon）做了一項研究[7]，測試企業管理階層、精神病患和住院治療的罪犯（心理變態跟有精神疾病的人）個性重疊的地方。她們發現在十一種人格障礙中，有三種出現在主管身上的頻率超過心理不正常的罪犯。其中兩種障礙在心理學上有許多共通點：

✰做作性人格疾患：特色是一直需要別人注意、用戲劇化方式表達情緒、需要興奮的感受。做作性的人通常很愛跟別人打情罵俏，也很愛操控其他人；心情變化的速度快到令人無所適從，談話的風格宛若在演戲，但沒有重點。

✰自戀性人格疾患：浮誇、自我導向、缺乏對別人的同理心、濫用傾向和自行其是（見第一章）。

心理變態老闆的七個徵兆

在我們所謂「成功」的心理變態中，最出類拔萃的心理變態除了他們令人欽佩的銀行存款，還有心理變態的特質，這就是他們最迷人的地方。心理學家認定的「缺乏良知」可以輕易轉換為「不顧一切代價，絕對要取勝的決心」。讀者可以想想看。下面範例中的主角是一位非常成功的廣告業主管，在大公司擔任創意總監。就叫他漢克．哈德森吧。

漢克最新的廣告計畫為他贏得能讓名聲大噪的獎項，國內的報紙以他為題做了專訪。看了幾段摘錄，可以看出潛在的心理變態徵兆，但你得看得很仔細。記者顯然相信漢克結合了許多完美的特質，要成為鉅富且事業成功，每項特質都不可或缺。

漢克．哈德森，現年四十三歲，在麻克布拉斯廣告公司擔任創意總監，為了成功，加班是家常便飯，但他精力充沛，一定會撥出時間從事他最喜愛的活動：直升機滑雪。而且不是普通的直升機滑雪，一定要遠離滑雪道，跳到積雪尚未凝固的地方。他說，有一天晚上，獨自一人下了直升機，滑了三個小時才找到最近的滑雪小屋，說著這段經歷時，他的臉都亮了。

走進辦公室，他也不會把極端風險帶來的震顫拋諸腦後。有位同事記得，有一次漢克花了公司幾十萬英鎊的經費，訂下倫敦皮卡迪利廣場的廣告板，只為了贏得客戶而張貼廣告。大家都很驚訝，漢克不僅贏得客戶，客戶還願意支付廣告板的費用。

第一個徵兆

心理變態需要刺激。或許其中一個因素是他們無法體驗一般人的情緒，需要比一般人更極端的興奮感受才能到達真正覺得很好玩的臨界點。他們很容易覺得無聊得不得了，如果有錢可以花，極限運動對他們有很強的吸引力。愈危險愈好。做生意也是另一種型態的運動，商業追逐的興奮給心理變態的滿足感受甚至超越過大生意最終帶來利潤的時刻。

漢克向來知道他的命運不同凡響。十五歲的時候，他辭掉第一份鋪地毯的工作，告訴老闆他要成立一家公司來打對台。不到一年他就實現了這個目標。

第二個徵兆

世界上白手起家的富翁多半也是無法無天的夢想家，不然不會有今日的地位，這點毫無疑問。通常會有人指責他們想要爬到可望而不可及的高度。布蘭森爵士年輕的時候，如果告訴別人他想要擁有自己的鐵路公司、航線和島嶼，有誰會相信？二十一歲的學生亞歷克斯·圖（Alex Tew）決定要立即致富，他出售自己網站的畫素（構成電腦螢幕的小點點），一點一美元，提出這個概念時，也有人嘲笑他，但他真成了超級富翁。新進企業家的提議脫離了習俗或限制，或許在心理學家一條一條讀過心理變態的檢查清單時，會被解讀為「不切實際目標」的證據，但在商業世界中卻有正面的看法，所謂「過度樂觀的想法」。

「事實很簡單，我就是目前世界上最棒的創意總監，麻克布拉斯則是最棒的廣告公司。我們選擇客戶，而不是客戶選擇我們。如果有人不喜歡我為他們設計的活動，那我也沒有興趣跟心胸這麼狹窄的人合作。沒錯，我曾踢走過一、兩家客戶。」說著漢克笑了起來，向後靠著椅背，點起一根雪茄。這種自我信念聽起來很刺耳，但少了自信，他或許還在做初級客戶代表的職位。

第三個徵兆

我們都知道，心理變態通常會覺得自己很偉大，不會犯錯，但在討論這種獨特類型的生意人時，上述感覺是必要的特質。妄自尊大的人有了這樣的信念，不停自誇，很有可能患了妄想症，嚴重的話有人會想要賣冰塊給愛斯基摩人。但自信是非常強大的工具。對自己無可動搖的信念，或許到了最後會讓連疑心病最重的愛斯基摩人都相信你一定有很確切的理由，他們真的需要你賣的冰塊！下次聽到年輕人在吹牛的時候不妨自問：他是心理變態？還是會變成大富翁？

漢克之前的雇主回憶說，即使壓力很大，漢克也不會崩潰。即使當他被抓到花了公司幾千英鎊在聲名狼藉的鋼管舞俱樂部「招待」客戶，老闆對他大吼大叫時，他依然不動聲色。客戶打電話來對著漢克怒吼，他把廣告放錯了地方，也不能讓他畏懼。即使在景氣低落，大家叫苦連連時，在火線上仍能保持冷靜，就是漢克能留住客戶的原因。

第四個徵兆

漢克的前雇主以為他很冷靜，在心理學家看來卻是無法體驗深刻的情緒。簡單地說，漢克不會崩潰，也不會退縮，因為他沒有感覺。他連眼睛都不眨一下。

> 受到驚嚇時，一般人會眨眨眼睛，自我防禦。實驗顯示，突如其來的噪音妨礙非心理變態的人觀看令不快或具有威脅性的影像時，他們會有很強的驚嚇反應。但是，心理變態幾乎沒有反應。❽

漢克在往上爬的時候，並非一帆風順，也留下了滿身傷疤。他對某些員工具有絕對的忠誠度，比方說他的私人助理就跟了他十四年，其他人在他眼中，只是留在戰場上的屍體。麻克布拉斯有位要求匿名的總監說，有一次，漢克在對手廣告公司工作的弟弟正和一家很大的無酒精飲料公司談合約，已經談得很深入；於是，漢克邀請弟弟到他家晚餐，把弟弟灌醉，讓他承認這家公司生產的飲料「很爛，很便宜，給我錢我都不喝」。他把弟弟的話全錄了下來；過了一星期，那家公司變成漢克負責的客戶。那位總監說，這種行為很卑鄙，但是也告訴我們：「沒有漢克不顧一切贏得勝利，這家公司就不能像現在一樣，變成世界上第二大的廣告公司。」

第五個徵兆

愛拍馬屁的人說「不顧一切，只為求勝」，心理學家卻稱之為「缺乏良知」。你應該聽過別人說：「他連自己的祖母都能賣……」，對吧？野心勃勃的心理變態就抱持這種態度。罪惡感、自責或羞恥心無法令他們卻步。如果心理變態看起來對某人很忠誠，那只是因為他們認為這個人就長期來說，一直都很有用。漢克的私人助理十四年來都是同一個人。他對**她**很好，因為他知道自己得小心點。

漢克在麻克布拉斯的第一位直屬上司告訴大家為何他雇用漢克擔任初級客戶代表。「我們握了手，我說，我希望他能星期一來上班。不過，他必須先和人事部的經理開會。他說：『噢，你說琵絲古德小姐嗎？』我說沒錯，很驚訝他居然知道人事部經理的姓氏。原來，這份工作漢克申請了九次。最後琵絲古德受不了了，同意讓他跟我面試。他從不擔心會失敗，一試再試。大多數客戶都靠著這個方法贏來，不管別人多少次對著他把門摔上，他仍會繼續敲門。」

第六個徵兆

面對逆境時，心理變態堅忍不拔。但那咬牙面對的勇氣，失敗了也不為所動，事實上是因為懲罰不會讓他們學到教訓，因此行為也不會跟著改變。

心理變態不會學到教訓

一九七〇年代，海爾和他的學生做了一系列研究，之後變成心理變態學術研究的經典。❾海爾讓實驗對象看著計時器倒數計時，歸零的時候，他們會被電極，「無害但有點痛」，他們的手指上黏了電極，測量出汗的程度。一般人一開始倒數就會流汗，知道接下來會接受電擊。但心理變態一滴汗也不流。他們似乎對逼近的不快「不理不睬」，看似無懼。這也可以解讀為他們不會從失敗中學到恐懼，也不怕即將面對的後果——在你創立人生中第五十三家企業時，或許很有幫助。換句話說，心理變態不需要面對恐懼，想做就去做。

我到漢克家拜訪，他住在城裡最時髦的區域，他家的房子也很漂亮。我在書房裡等他。你或許也料想得到，書架上擺滿了值得收藏的書籍，作者都很有見識，例如狄更斯、特洛普和普魯斯特。但在他巨大的桃花心木書桌旁（仿造喬治華盛頓在其上設計出美國憲法的那張書桌）則有一排展現各種興趣的書籍。養蜂指南旁邊有一本蒐集字畫的書，幾本古董車的書，還有幾本關於希臘神話的書。漢克發現我盯著那些書看。「啊，對了，」他說：「你看，我很喜歡自修。無意間學到的知識或許能激發出廣告的想法，你永遠無法預料。」

第七個徵兆

漢克說他自修學習，或許不假，但他的藏書再怎麼驚人，他的知識卻有可能僅限於基本層面。史圖特（Martha Stout）在《4％的人毫無良知，我該怎麼辦？》（*The Sociopath Next Door*）寫道：「心理變態有時候會展現出短暫強烈的熱忱，比方說嗜好、計畫、和別人互動，卻不投入，也沒有後續的行動。這些興趣似乎突如其來，也沒有理由，最後以同樣的方式結束。」心理變態的老闆有可能在恰當的時間，碰到恰當的對象，用有趣的知識或捏造的興趣讓對方留下深刻的印象，但目的達到了，他也忘了。同樣地，他會涉獵許多不同性質的商業領域，卻同等快速地放棄興趣，抽走公司資金，移到下一個計畫，跟他一起做生意的人因此陷入絕境。

漢克送我到門口，摟著第四任妻子塔莉塔。塔莉塔比漢克年輕二十歲，曾贏得義大利小姐的頭銜，現在懷著她的第一胎，也是漢克的第七個孩子。漢克已經告訴我，他們簽下的婚前契約是有史以來最嚴格的，也定下了法律先例，他說：「我愛她，就跟我愛前幾任太太一樣。她很不錯吧？」他捏了下妻子的臀部，她掩住嘴巴，不讓自己發出尷尬的尖叫。最後一次回頭的時候，漢克對著我誇張地眨了一下眼睛。沒錯，他一定會成功。

成為富豪必備的條件，你有嗎？

要白手起家變成富翁，看來你需要某些特質，在離開會議室後，心理學家認為這些特質也是構成心理變態的要素。不顧一切想要成功的意願、自大得不得了、對自我的信念到了幾乎是妄想的程度、滿腦子的夢想。你也是其中一名成功人士嗎？閱讀下面的敘述，你同意，還是不同意？

1. 「除非你相信有一天你會發大財，不然你沒辦法靠著白手起家變成富翁。你應該要告訴所有你認識的人，你一定會發大財。銀行經理要求你立刻償還透支的金額，叫他不要擔心；明年的這個時候，他管理的帳戶就屬於超級富翁了。

2. 「我希望別人相信，我非常傑出，靠著自己打出天下，如此一來，我的成功會更加燦爛；所以捏造出悲慘的童年故事並沒有關係。我家住在郊區，是棟雙拼屋，父母都是醫生，但我告訴別人，星期天我們只能嚼煤炭當作午餐，沒有鞋子穿，我只好把牛皮紙袋穿在腳上。」

3. 「有空的時候，我喜歡開著一級方程式賽車，在銀石（Silverstone）賽車場繞幾圈／跟鯊魚一起游泳，身後還拖一塊滴著血水的牛排／用獵槍玩俄羅斯輪盤。」

4. 「我有很多能夠致富的想法，只是到現在還沒有一個行得通，我會繼續嘗試，直到成功為止。」

5. 「我相信，要變得富有，最好的方法就是跟某個行業中的佼佼者合作，聽從他的命令。」

6. 「我每天就是打卡上下班。我會把工作做完，但週末才是人生的重點。我想要享樂，我正在存錢，要去西班牙的伊維薩島過一個狂野的夏天。」

7. 「在很多情況下，貧窮都是一種精神病。」（出自波依生（Charles-Albert Poissant）的著作，《向超級富翁借IQ》（*How To Think Like A Millionaire*）⑩）

8. 「人生讓我覺得受騙了，不斷受到挫折。為了遵守規則，我否定了內心的自我。為了變成富翁，我一定要掙脫。」

9. 「我不承認有做不到的事情。」（福特（Henry Ford），美國汽車大王）

10. 「努力工作，才能賺錢。」

答案：

1. 這種說法表示你很浮誇——心理變態必然具備的特質。但在教人發大財的研討會裡，常常會提到這一點。

2. 如果你同意，表示你有點無情——騙別人你有不同的背景，好讓自己致富的過程在別人心目中留下深刻的印象，真的好嗎？希臘船王歐納西斯（Aristotle Onassis）讓別人相信他小時候很窮。事實上，他的父親做生意，非常富有，也是當地銀行的總裁。

3. 這點表示你需要極端的刺激——洩露出心理變態的傾向。但同樣地，我們也常常看到有些白手起家的富翁，例如布蘭森爵士，從飛機上跳下來，或搭著熱氣球環遊世界。

4. 同意這一點，暗示你是個似乎學不到教訓的心理變態。但同樣地，俗語說好人自有出頭日。數名億萬富翁一開始創業都以失敗收場。川普的頭三項事業都破產了，但他仍不肯放棄。

5. 如果你不同意，表示你有點自我膨脹，超級富翁福特也有這種心理變態的傾向。在底特律愛迪生公司學會做生意後，他拒絕了升職加薪的機會，說：「我辭職，我決定再也不要聽命於人。」

6. 心理變態不喜歡工作，但他們沒有存錢度假的概念（雖然他們很愛「狂歡夜」）——能騙到別人願意免費帶他們去度假就好了。

7. 你相信貧窮跟精神狀態有關嗎？如果你同意這項陳述，或許你打交道的對象都不會把自己的貧窮歸因於教育水準不夠或貧困的環境。為什麼他們不能找到一個致富的方法呢？什麼方法都好。英國天空衛視（Sky TV）的影集《流氓大哥的妻子》（*Gangster's Wives*）中，一名女賊說：「想要享受美好的事物，就得變得有點狡猾，不是嗎？」

8. 同意這一點，表示你真的很想出人頭地，做你真正想要做的事（創造財富）。但你不是心理變態——心理變態一開始就不遵守規則。

9. 福特在一生中，讓數百萬人變成有車階級。常有人告訴他，要讓汽車普遍所需的機械學跟經濟學都不可能存在；他無視別人的信念。他的自信程度看似接近心理變態，因為有這樣的自信，就連不可能的事情都變成另一個要克服的障礙，但他最後變成超級富翁。如果你同意他的提議，或許你有點妄想症……但是別在意，或許你真能高人一等！

10. 完全不同意？抱歉了，除非贏了樂透頭獎，或者繼承財產，大多數人為了生活都要辛勤工作。快速致富的方案通常會吸引到心理變態的注意力。但如果你想要變成超級有錢的老闆，最好聽聽知名美式足球教練隆巴迪（Vince Lombardi）的格言：「只有在字典裡，成功（success）會排在工作（work）前面。」

用避險基金詐了六百五十億美元的大騙子馬多夫

二〇〇九年六月，六十一歲的馬多夫（Bernie Madoff）被判刑一百五十年，因為他騙了不少錢，最終估計的金額接近六百五十億美元（四百億英鎊）。從表面上看，多年來他經營的避險基金在紐約名列前矛，備受矚目的投資人包括大導演史蒂芬史匹柏、演員凱文貝肯、匯豐銀行以及西班牙國際銀行（來源：《華爾街日報》），但是，經濟衰退時，客戶要求贖回投資金額，騙局就被揭穿了。馬多夫的難題在於，沒有錢可以還：整家公司是個大規模的龐氏騙局（Ponzi scheme〔譯按：透過非法吸金詐騙投資人〕）。馬多夫生活豪奢，他在紐約上東城有間公寓，在佛羅里達棕櫚灘有棟價值九百四十萬美元的房子，還有一艘五十五英尺長，名叫「公牛」的遊艇（「公牛」原文bull也有廢話的意思，難道一切都是假象？），還有其他隨手可得的享受。有少數人心存疑問，這不同凡響的避險基金太棒了，簡直不可能是真的。或許細看這位假裝很成功的金融天才，能夠揭露他心理變態的傾向。

在《馬多夫：盜走六百五十億美金的人》（*Madoff: The Man Who Stole $65 Billion* ⓫）中，作者阿維德蘭（Erin Arvedlund）告訴讀者，馬多夫從小就很愛說謊騙人，並非二十一歲成年後才有這樣的傾向。十幾歲在讀高中的時候，老師交下作業，要他們讀一本書並上台報告，他一本書也沒讀。輪到他上台的時候，他唱作俱佳，討論輥恩的《打獵和捕魚》，人名和書名都是他臨時編出來的。老師要他把書拿出來，他很冷靜地回答，書已經還給圖書館了。同學聽說他全靠自己亂編，還向他道賀。

過著奢侈生活時，馬多夫很受歡迎，但判他坐牢的法官發現沒有朋友寫信或抗辯，證明他做過好事，那就是很有力的證據（在遭到逮捕前，大家都知道他是猶太裔慈善家，但大型的猶太慈善機構也在這次詐騙中損失慘重）。聽說，一名對金融一竅不通的新喪寡婦去找馬多夫，問他該怎麼辦。他用手環住她的肩膀，告訴她：「別擔心，你的錢放在我這裡很安全。」

劫走員工退休金的媒體大亨麥斯威爾

麥斯威爾（Robert Maxwe）卒於一九九一年，但他不論是生是死，名望持續三十年不墜。他在捷克出生，家裡很窮，一九四〇年，十多歲的時候，以難民身分移居英國。一九五一年，他買下一家小出版社，這是他第一筆重大的商業交易。一九八〇年以前，他就收購了大不列顛印刷公司（後來改名為麥斯威爾傳播公司），一九八四年又買下了鏡報集團。到了一九九〇年代，麥斯威爾已經成為麥克米蘭出版社的老闆，並擁有MTV歐洲台百分之五十的股份。

不過，當他浮在海面上的遺體被人發現後不久（應該是航遊到加那利群島（Canary

Islands）時從遊艇上跌落海中），他處理財務的詳細手法才曝光。他從自己的生意竊取了好幾億英鎊，為自己過度野心勃勃的企業擴展計畫和奢華的生活方式提供資金，而最主要的來源則是為員工設立的退休金。他的兒子凱文之後被迫宣告破產，背負了四億英鎊的債務。

後來又有一件事曝光，在他死前不久，曾接受蘇格蘭場（倫敦的警務處總部）戰爭犯罪調查組的調查，據說一九四五年，他曾冷血殘殺德國平民。

早在一九七三年，甚至有可能早在一九六九年，根據消息來源透露[12]，麥斯威爾想把培加曼出版社賣掉，但沒賣出去，還失去控制權，之後英國工業貿易署宣告，「要用恰當的方式管理公開上市公司，他不是一個可靠的對象」（過了一年，他還是有能力借錢把出版社買回來了）。

在麥斯威爾一生中，常有人傳誦他的魅力，但他也出了名的愛發脾氣，還會讓員工隨時隨地充滿恐懼。有一個故事據說是他的小孩告訴別人，突顯出他的自制力有多差：耶誕節早上，他們下樓去，發現父親坐在一堆扯爛的包裝紙中，他抗拒不了，把他們的禮物全拆開了。[13]

公司分紅背後的祕密

二〇〇七年，資誠聯合會計師事務所做了一項調查（「經濟犯罪：人群、文化和管控」）[14]，他們發現調查中的五千四百家公司裡有一半自前次調查以來，曾遭到金融犯罪的打擊。直接財務損失平均升高了百分之四十，從一百七十萬美元升到兩百四十萬美元。他們也發現公司愈大，愈有可能成為詐騙的受害者：在員工超過五千人的公司裡，百分之六十二曾因罪行而蒙受損失。百分之八十五的罪行由年紀介於三十一到五十之間的男性犯下，其中一半的人具有大學以上的學歷。有一半的人詐欺自己工作的地方，百分之二十六的罪犯曾是資深主管，百分之四十三的人在雇主公司有五年以上的工作經驗。

簡言之，PWC的調查符合心理學家的懷疑，心理變態在資深企業主管的世界中很有可能如魚得水。大型公司似乎更容易變成罪犯下手的對象，遭受他們貪婪的掠奪。我們不知道，是否因為支持高風險和競爭的態度，這些公司創造出心理變態的氛圍，或者那樣的環境特別吸引心理變態。

結論和勸告

成功企業家的許多特質備受稱讚，但這些特質似乎也和心理變態的許多特徵非常類似：狂妄的自我信念、傲慢自大、一心一意追求金錢、連自己的祖母都能賣、面對失敗時漫不在乎。

如果你懷疑自己的老闆真是心理變態，而不是朝著成功富有的目標邁進，我們建議你用下面的方法來應對：

☆捫心自問，在給你獎賞的高風險環境中，你是否覺得滿足。如果你很在意穩定跟工作保障，或許你想到另一家公司去。當然，任何工作一定都有某種程度的風險，在最近經濟衰退時，資深銀行家為了高收益而冒很大的風險，直到幾年後資金流光，就是一個例子。人心原本就很貪婪，但這不表示貪婪的人一定是心理變態。為這些人工作的人也沒發現他們用公司的資金冒險。你要想辦法確認，你對公司有足夠的了解，然後才能決定是否願意為了薪水承擔那樣的壓力。

☆應付心理變態老闆的私人問題（有時候換個部門，或許就能逃離來自地獄的主管），你得要更小心。明白你要應付的問題是什麼。主管的推銷手法或許會讓你的顧客或客戶受到迷惑，但你要提醒自己，成功需要努力，光靠活躍的想像力沒有用。盡一切努力打好基礎，因為苦工可能都會掉到你頭上。

☆如果要保有工作，絕對不要在其他人面前批評你的老闆。你不能和心理變態的老闆講道理，他們會敏銳察覺到別人想要羞辱他們或暗中破壞的意圖。重要的事項應該要面對面討論，他們說的每一句話都要謹慎聆聽，先讓他們暢所欲言，你再提出自己的看法。你的意見一定要從成本和利益的角度出發，因為他們只在乎這兩件事情，讓老闆搶走你的功勞，也能迎合他們自大的心理。

☆和老闆保持友善的專業關係。私人生活和工作之間的界線千萬不可以變得模糊。比方說，要是你跟同事去小酌卻喝醉了，對老闆透露了你的私事，下次開會時他們絕對會一字不漏地複述。

☆最後，如果你覺得你的老闆是心理變態，不要期望公司能為你提供未來的財務保障。做好心理準備，你很有可能突然就被解雇了，報銷花費的收據一定要留下副本（以免日後有人要你拿出證據），也要準備私人的退休金。如果有可能面對法律訴訟，能夠自我保障的文件一定要留下來——比方說，老闆給你的電子郵件，其中寫了不合理的要求，或牽涉到不專業的行為。

第四章

你最要好的朋友是不是心理變態？

到新的地方工作、搬到新的區域居住、到新的學校就讀（你或你的孩子），你會很想趕快融入。融入表示交到新朋友。或許你在工作的地方已經很資深，或在村子裡住了很久，有新人或新鄰居來到時，你也想幫**他們**融入。

就在這個軟弱的時候，心理變態會趁虛而入。說到底，每個人都希望自己受別人歡迎，利用這個弱點，心理變態會變成你的「朋友」，想辦法引起你的興趣，好滲透到你的生活裡。在你發現前，他們已經接管了你的社交生活和感情生活，或許有可能榨乾了你的皮夾，留下你孤獨一人，更容易受到攻擊。他們會告訴你，你只能信任他們，也只有他們能幫你脫離眼前的混亂。而混亂卻由他們一手造成。

這個故事由我來說，感覺很奇怪，因為我並不是所謂的受害者。起碼我從來沒想過我會變成受害者。我的房子在村子裡算大的；幾年前我把經營的水管維修事業賣掉，利潤還不錯（我在同一個地方住了至少二十五年，但我運氣很好，能把房子擴建）。我離婚了，不過我會定期探訪我兒子查理，他現在正值青春期，而且我有一個年紀比我小的女友艾爾希，她長得很漂亮。上附近的酒吧時，我總有一兩個聊天的對象，夏天我們會組成板球隊，在村裡的草地進行幾場比賽。雖然看起來我已經半退休了，生活輕鬆愉快，卻掉入騙子的陷阱裡。我真的一直以為羅勃是我的好朋友。即使到了現在，我仍無法相信他騙了我。他給我很正派的感覺。

三年前，羅勃搬來我們村裡。大家立刻對他留下了深刻的印象。首先，他租下了綠地附近最大的房子。第二，他來的時候開了一台很漂亮的古董賓利。第三，第一天晚上他到酒吧來，請所有人喝酒。酒吧裡大概只有二十幾個顧客，不過能表現誠意比較重要。那天我正好沒去，但之後聽說他跟酒保貝蒂聊天，他想辦法灌貝蒂迷湯，從她口中聽到了村子裡的八卦，明白誰是誰，甚至誰跟誰怎麼樣。所以我想，應該是那天晚上他有了這個印象，認為我是本地的大人物，也打定主意要跟我結識。

村中舉辦夏日慶典時，我碰到了羅勃。他介紹自己，並遞給我一杯皮姆酒。我不得不說，我真的覺得他很有魅力。他保養得很好，一身燙過的亞麻布西裝看起來非常體面。羅勃告訴我他專門投資房地產，搬來我們村裡是因為這塊地方「尚未開發」。先租房子是因為他想要好好了解這個地方後再來置產，不過我們立刻都感覺得出來他似乎有一兩百萬英鎊可以自由運用的資產。他說他想認識我，因為他聽說我對這裡瞭若指掌，他覺得或許我們兩個可以一起做生意。

我聽了當然有點暈陶陶，覺得被捧上天了。我要艾爾希去蛋糕攤買點東西，我跟羅勃則到酒吧的庭院裡喝一杯。我發現我們兩人有很多共同點——起碼那時候感覺我們很像：我們都由祖母帶大（我母親去世了，他則是還在學步時母親就離開了）、我們的中間名一樣、我們年齡相近、年輕的時候都迷上同樣的樂團、迷戀同樣的花花公子海報女郎。我喜歡蒐集瓶中船，他喜歡航海紀念品。他說他曾是國際帆船運動員，當過救生艇船員，甚至得到勳章。我們還發現兩人都很喜歡拉不拉多犬。當然，我不知道這些共同點有多少個是真的。

不久之後，我們兩人幾乎天天見面，只是喝一杯交換一下八卦。不知道為什麼，我發現或許我有點不甘寂寞。我的意思是，村裡的人都很好，我跟他們認識很久了，但我更喜歡跟羅勃聊天。他的經驗豐富，博學多聞。我覺得只有他才能真正了解我。我們開始討論生意的事情，我跟他去兜了幾次風，看看有沒有可以買來發展的地產。

我們看了幾個地方，我覺得他投資的眼光還不錯。有一天他打電話給我，說他認識的房地產開發商打電話來，告訴他密德蘭地區有個好得不得了的交易機會，他說這個人很值得信任。他要去那邊看看。兩天後他打電話給我，說真的很不錯，可以買下來租給別人，那邊有很多年輕夫妻想租房子。我們可以買下來，租出去一年，然後再出售。光是租金就能賺一大筆。他說，我一直是他的好朋友，他想跟我一起做這筆生意。只是對方不肯讓其他人加入，所以最好讓我把支票開給他，然後他加上自己那一半，直接付給開發商。我負責的投資金額是十九萬英鎊。

我付了錢。我覺得一點都不需要擔心，我也很高興能把錢投資在很好的目標上。羅勃帶了房子的宣傳小冊回來，似乎真的不錯。看起來很真實。只是後來我才發現，房地產當然不存在。我的支票直接進了羅勃的戶頭。

但過了好幾年我才發現。在那段期間，羅勃和我又共同投資了好幾項生意。都沒有第一筆那麼大，但我按著羅勃指示，總共投資了將近六十五萬英鎊。那是我要留給兒子的遺產，但我認為我會幫他把金額加倍。

不過，其實在發現我被騙之前，我開始看到一些跡象似乎與事實有所出入。聽起來有點傻，但我在酒吧裡跟別人聊天，他說羅勃很迷臘腸狗，他們趁著午餐時間喝了一杯，細細討論臘腸品種的特點，聊得很愉快。我笑了，說他喜歡的是拉不拉多犬才對。我想應該是他搞錯了，沒放在心上，但確實感到有些不快。愛狗的人可不會搞錯狗的品種。

某天晚上，羅勃帶了女性朋友到酒吧去。克麗熙已經離婚，非常富有，顯然羅勃想追求她，我覺得有點驚訝。她沒什麼好挑剔的，但有點傲慢。村裡的酒吧一向很安靜，他們講話的聲調顯得很吵，過了幾天，他發簡訊給我，說克麗熙要帶他去威尼斯住幾天，他們訂了當地最貴最高級的格里提宮酒店。我想，她一定很喜歡把前夫的銀子花在羅勃身上，他也樂得享受對方慷慨的招待。羅勃變得似乎不太像我的朋友，不過我認為我應該為他感到高興。過了幾個星期，克麗熙搬進他家，我們立即發現（村裡的八卦一向傳得很快），房租變成她來付了。

我跟羅勃依然天天見面喝酒。雖然一起做生意，我們不光討論生意而已。羅勃會講他過去的經歷，讓我聽得很開心，比方說搭救生艇營救其他人、到世界各地旅行、他交往過的美女等等。聽得出他至少結過兩次婚。他不常提起克麗熙；事實上，他一講到克麗熙，我就有點不自在。他似乎對她很冷淡，提到她幫忙付的帳單，他會哈哈一笑。不過我想「各人有各人的命」，也不去深究了。

認識大概一年後，羅勃告訴我他要跟克麗熙去巴貝多兩個星期，從此不見人影。一個月後，我不只找不到他（手機關機，電子郵件無人回覆），也不知道該怎麼追蹤我們合資的生意：一切都由羅勃處理。最後，把房子租給他的仲介到警局報案。羅勃詐欺的案件有很多，我只是其中一名受害者。你們可能覺得我是傻瓜，但我不知道在失去金錢和失去朋友之間，哪一點比較讓我難過。

傑佛瑞，五十六歲，退休人士

交到新朋友，可能跟交到新男友或女友一樣令人興奮：你發現你一有空就想跟對方見面，而且一聊就聊好幾個小時，很開心地發現彼此的共同點愈來愈多，甚至還一起計畫未來。知心好友難得，你們的友誼或許會比你的婚姻更加持久。那個特別的人知道你所有的祕密，你能在他面前承認你的弱點卻不會受到批判，也會支持你對未來的希望。

和心理變態交朋友自然完全不一樣，他們沒有同理心，除了自己之外，無法對別人忠誠。但他們知道該怎麼做才能讓你相信，他們才是你最要好的朋友。正如在上面的故事中我們看到，羅勃知道如何讓傑佛瑞感覺他碰到了真心的好友：他們有很多共同點，起碼表面上看來是這樣。羅勃滿足了傑佛瑞的虛榮心，把他當成村裡的「大人物」，還向他探聽村裡的消息，最後邀他投資。

所以，可憐的傑佛瑞發現真心付諸水流，比把錢丟到水裡更覺得難過，他的反應很正常。不知道為什麼，即使對方把我們的錢偷走，我們仍寧可相信友誼的確存在。承認上了新朋友的當，而且對方真的是個騙子，也就是承認自己容易受騙且遭到羞辱，實在難以面對。但你不應該覺得自己很傻：心理變態詭計多端，他會攻進你靈魂最柔軟的地方。

心理變態從一開始就占了上風，因為在感到焦慮時，最容易交到新朋友。心情忐忑不安時，比方說跟伴侶分手、搬到新的地方或開始新的工作，最需要友好的人際關係。一九五九年有人做了一項經典的研究，女性參與者被告知她們會接受電擊。有一半的人聽說很痛，另一半人則聽說不痛。在設定儀器時，她們可以選擇獨自等待，或跟另一個人一起等。高度焦慮的群組（聽說會很痛的那群）想要跟別人一起等的意願是另一組的兩倍。[15]

一般人選擇朋友的時候多半會依據有沒有共同的興趣，心理變態選擇「朋友」則是因為那人有他們想要的東西，或者那人對他們有用。心理變態選擇朋友的時候，不一定會選比較普通的人，好讓他們指責和操控，事實上，他們偏好更重要、更有權力、更特別的人反射出來的光彩，讓他們肯定自我察覺到的社會地位。

找到目標後，心理變態早就準備好了招數。他們的模仿能力很強，有時候會模仿某人說話的模式（說話的速度、使用特殊的術語等等）和手勢。這會讓人立刻感到親切：如果有人表現得跟我們「同步」，我們不知不覺就會覺得很自在，對這個人產生好感。

一般人看到自己喜歡的人笨手笨腳的，喜愛之心會更加強烈，這是我們可愛的地方——或許笨拙讓他們看起來更符合人性。而心理變態也會給別人這種印象，不過通常是無心的。他們可能會失誤，或表現得很失禮，因為他們的人際關係薄弱，但由於他們不會大驚小怪，甚至會嘲弄自己的錯誤，反而讓我們更喜歡他們。我們心裡的想法是：「他不會太苛求自己。」然而，就連最自大的心理變態其實也沒辦法利用這一點。

對心理變態來說，人際關係就是剝削，他們會利用別人，實現自己的慾望。比方說，他們不了解幫忙的概念，除非是為了自己的好處。如果你要心理變態幫忙，他們或許會認為這是「把錢存到銀行裡」（因為日後他們會要求你幫更大的忙），或者他們覺得深受侮辱，以為別人要利用他們，而他們喜歡一直保持優勢。

更危險的是，心理變態利用朋友提供的私人資訊來攻擊吐露祕密的人。私人的資訊、親近、祕密本是友誼的工具，在心理變態的人手上卻變成武器。

心理變態好友的七個徵兆

凡妮莎第一次見到海瑟時，覺得她有點可憐。在全是女性的公關公司裡，剛來上班的海瑟年輕且有野心，體重也有點過重。私底下凡妮莎稱海瑟「醜女貝蒂」（譯按：美國影集的名字，女主角貝蒂過重，打扮過時），她覺得海瑟個性不錯，但是穿著打扮不夠流行，很需要有人指導。凡妮莎雖然幫海瑟取了個外號，但她心地其實很善良，也負起保護海瑟的責任。

才過幾個星期，凡妮莎和海瑟就形成緊密的小圈圈。她們每天都一起吃午餐，而且為了鼓勵海瑟減掉多餘的脂肪，凡妮莎總會幫兩人點一樣的壽司。她們一起去逛街，凡妮莎也帶海瑟去比較時髦的商店，慫恿她把薪水盡量花掉。因此後續情節就像老套的連續劇一樣，認識才七個星期後，海瑟被迫搬出她住的地方（她說房東要把房子賣掉），在她找到新住處前，凡妮莎就讓她住進自己家裡的空房間。

既然海瑟可以穿得下小一號的衣服，她就開始借凡妮莎的來穿。凡妮莎並不怎麼在意，直到她發現回來的衣物髒兮兮，還留下菸味。但是，一開始沒講話，之後就更難開口了。然後海瑟似乎也不想找地方住，更不用說付房租給凡妮莎了；同樣地，過了幾個禮拜，似乎更難提出這個話題。要是海瑟早上淋浴時不把所有的熱水用掉，或若無其事地吃光了凡妮莎的洛克福乳酪（譯按：世界三大藍紋乳酪之一）或手工果醬，似乎還能忍耐；如果凡妮莎不開口，海瑟也聳聳肩當沒事。

第一個徵兆

模仿或許是最誠懇的恭維，但海瑟比較像寄生蟲。海瑟掠奪凡妮莎的方法很聰明，知道對方不好意思承認自己的善意其實有限度。不需要付房租、隨時可以拿對方的衣服來穿、冰箱裡裝滿了可口的食物，為什麼海瑟要離開？當海瑟連凡妮莎的男友都想染指，就像她想把指頭伸到室友的希臘魚子沙拉醬裡，那凡妮莎或許就無法忍耐了。不過，也要凡妮莎發現，才算是最後一擊。

凡妮莎覺得很有罪惡感，心中憎恨海瑟卻不敢說，也要壓抑令自己坐立難安的疑慮，朋友不就該分享一切嗎？而且海瑟現在也應該是她最要好的朋友了，不是嗎？她們工作在一起、住在一起，週末也一起消磨時間。她們無話不說：告知對方生活中的所有細節，從第一隻寵物到第一個男朋友。起碼凡妮莎都說了。海瑟透露了一些看似私密的資訊，只不過都和好友的生活體驗、信念和感受相呼應。如此一來，她給凡妮莎一個訊息：「瞧，我們一模一樣……你（跟你所有的祕密）在我這邊很安全。」

第二個徵兆

海瑟懂得逢迎，把自己塑造成凡妮莎忠誠的手帕交，同時也暗中策畫，再也不用付出。她讓凡妮莎聽到她想聽的，好讓她全盤信任自己。如果凡妮莎多花一點心思想想海瑟提起過去的方式，或許會注意到她的故事缺乏細微的描述，也有種在打啞謎的感覺。她的故事展現出心理變態「淺薄或虛偽的情感」。海瑟提到心碎的時候，說法很簡略；大聲哭泣，眼淚卻很快就擦乾。她口口聲聲說自己非常愛寵物，卻連一張照片也沒有。

愈來愈親近後，海瑟更有自信，凡妮莎卻漸漸發覺局勢扭轉了。她現在需要朋友的支持。當凡妮莎跟另一名女性朋友小小吵了一架，海瑟會建議她該怎麼回應。她建議凡妮莎開始散布謠言，說那個朋友長了生殖器疣。凡妮莎覺得很好笑，但也嚇了一跳，沒有採取海瑟的建議。她也注意到海瑟對待別人的方式因人而異。她從來沒想過自己的好友會霸凌別人，但海瑟對朋友很好，所以一定是想要保護她，對不對？

第三個徵兆

由於心理變態在不同人身上會看到不同的利用價值，所以他們對待每個人的方法也會不一樣。通常很難看出這種不一致性，除非他們特別討厭某個人，你才會注意到。然而，到了這個時候，他們已經幫「出乎意料之外」的待遇找好理由或解釋。如果那不幸的受害者也是你的敵人，你們更容易聯合在一起，或乾脆忽略這樣的行為。你覺得很安全，因為你相信你的知己絕對不會攻擊你。

注意他們的雙手

心理變態的手勢（所謂的「打拍子」）比非心理變態多，尤其是在討論情緒或人際關係的問題時，比方說描述家庭關係，或是描述家庭生活。⓰心理學家相信，這或許表示他們在討論他們覺得很抽象的感覺和概念時，必須投入額外的認知努力（想想看，你在腦子裡搜尋詞彙時揮舞雙手的方式）。犯罪型心理變態在討論他們犯下的罪行時揮動雙手的頻率比較低，因為他們已經經歷過，早已具有意義。

當然，住進凡妮莎家，穿她的衣服吃她的食物，對海瑟來說還不夠。不久她就想辦法弄到凡妮莎的通訊錄。她一一打電話給凡妮莎的朋友，約好了吃午餐或喝飲料，給共同的朋友一個「驚喜」，最後卻單獨出現，解釋說凡妮莎忙到無法脫身。然後海瑟發揮魅力，很快地就讓凡妮莎的朋友聽從她的指揮。聊天的時候海瑟會透露一些小「祕密」——「可憐的凡妮莎」工作壓力很大、她很擔心她的男朋友有第三者、她快要丟掉最大的客戶了……

慢慢地朋友們都開始同情凡妮莎。凡妮莎不知道怎麼了，也不知道為什麼，她覺得慢慢失去「高人一等」的地位，因為其他人提議要幫她的忙，而不是要她提供建議。辦公室裡有人不小心說出來，海瑟告訴他們，她很為自己的好友擔心，於是凡妮莎去找海瑟對質。海瑟泰若自然——我是為了你好，她又重複了一次。又再次補充，凡妮莎現在需要有人幫忙頂著。凡妮莎的眼淚突然流了下來。她說，當然，你是我的好朋友，幫我。

第四個徵兆

海瑟很巧妙地控制了凡妮莎，慢慢地一點一點增加，所以凡妮莎根本感覺不到發生了什麼事。凡妮莎的自信很快就嚴重受損，當然，能拯救她的只有會給她報應的人。

有一天，海瑟打電話給凡妮莎的父母親。她解釋說，凡妮莎付不出貸款，因為她預期會拿到分紅並沒有發下來。凡妮莎覺得很可恥，不想自己打電話給他們，或許也不會接受他們的幫忙。但是如果他們能把錢給海瑟，她會告訴凡妮莎說她可以借錢幫忙（凡妮莎的父母當然以為海瑟會定期付房租）。凡妮莎的母親有些不信，覺得應該要凡妮莎週末的時候回家跟他們好好談一談。但凡妮莎的父親很著急，不希望愛女受到壓力。他把夠付六個月貸款的錢存到海瑟的帳戶裡，凡妮莎自然毫不知情。

第五個徵兆

能從凡妮莎和她的父母身上騙到錢，海瑟覺得挺開心，一點兒都不覺得自責。心理變態對家庭關係毫無感受，不論是他們自己的家庭，還是你的家庭。對他們來說，所謂的朋友和最親近的人只是可供榨取的額外資源。

有天晚上，海瑟向凡妮莎提議一起去伊維薩島度暑假，狂歡兩個星期，享受夜店、海灘、男人和西班牙水果雞尾酒。還有更好的建議嗎？凡妮莎同意了。唯一的問題是，她今年的假期已經用完了（要感謝海瑟，之前建議她們去布拉格度個小假，住在鄉村民宿裡消磨延長的週末，還有一次她們搭飛機去都柏林，因為她們聽說海瑟最喜歡的電影明星在那裡）。海瑟說，沒關係，我已經打電話給公司，說你得了腸胃型感冒，還用你的信用卡買了機票，我們今晚就走……

第六個徵兆

旁人眼中瘋狂享樂和精力無窮的個性，在心理變態身上卻是很危險的衝動個性。不在乎別人有什麼規畫，甚至不考慮會有什麼結果，心理變態想做什麼就做什麼，也不會考慮時機。

海瑟和凡妮莎搭機前往伊維薩島，但凡妮莎快要受不了這個朋友了。在度假的時候，海瑟對毒品和雞尾酒來者不拒，更不用說每天晚上都帶不同的男人回飯店，凡妮莎只得摀著耳朵躲在浴室裡，或在飯店的酒吧裡咬指甲，等海瑟跟男人完事。

然後，最後一天晚上，凡妮莎正要告訴海瑟，她再也受不了這種無法無天的行為，多一分鐘都不行，海瑟卻爆出驚人的事實。她說，她得了癌症，所以她才會每天過得彷彿沒有明天。可以想像，凡妮莎非常震驚。她啜泣不停，要求好友回家後要接受她的照顧。

不過這一次海瑟不夠聰明。下飛機後在等待行李時，海瑟把手提袋交給凡妮莎，自己去洗手間。凡妮莎注意到她的手提袋裡有封當地醫院寄來的信探出頭來，一時衝動，決定要偷看內容；她不知道海瑟的癌症是否比她自己說的還要糟糕。她想，好友每次都這樣，對很多事情都輕描淡寫，好讓凡妮莎不要那麼擔心。但信裡的內容還要更糟糕。海瑟去檢查的那個腫塊完全無害；不需要繼續到醫院看診。

第七個徵兆

面對凡妮莎的指控，海瑟撒下了漫天大謊，就怕失去她的飯票，可不是一般人會想到的謊話。心理變態說謊是家常便飯，知道對方的耐心到了頂點，想要從他們身上激發出快速有幫助的回應時，通常也會「加強」謊言。他們很麻木不仁，完全無法了解這樣的謊言會給別人什麼樣的情緒衝擊，如果能得到想要的結果，他們很樂意玩弄朋友的感受，就像貓咪逗弄老鼠一樣。海瑟一開始的時候應該沒想到撒這麼大的謊會有什麼樣的結果，但毫無疑問地，如果被揪出來，她會想辦法利用撒謊來脫身。希望這個最後的大錯誤能讓海瑟離開凡妮莎的生活。當然，她應該會立刻尋找下一個受害者，希望那個人不是你。

注意他們的嘴唇：心理變態使用語言的方法

典型的心理變態據說都「能言善道」，但他們講話時展現出的姿態才是別人注意力的焦點，而不是他們雄辯滔滔的能力。事實上，專家注意到心理變態使用語言時有些特點，也有不靈巧的地方，一般人不用心的話或許不會注意到。

海爾在著作《良知喪失》（*Without Conscience: The Disturbing World of the*

Psychopaths Among Us）中提到「常常出現矛盾和邏輯不一致的陳述」。詢問一名已經定罪的竊賊是否有過暴力犯罪的紀錄，他回答：「沒有，但有一次我不得不殺人。」心理變態似乎會用很奇怪的方法組詞，有點像誤用發音相似而意義不同的詞語。比方說，心理變態稱自己是「代罪羔羊」或「自身無法節制的受害者」。

海爾假定，這「就像心理變態無法監控自己講的話」，才會出現繞圈圈和結構不佳的字詞及思維。海爾指出，我們講話時，一長串複雜的心理活動已經進入尾聲，因此當心理變態胡說八道時，很有可能他的心智程序跟行為一樣，都不受常規束縛。

心理變態充滿特色的說話方式很有可能是少見「側化」大腦的產物。[17]大多數人的大腦左半部主要負責用詞和了解字詞的方法。但有證據指出，心理變態的語言中樞有兩邊，也就是同時存在於大腦的兩個半球內。[18]這表示語言資訊必須在大腦兩邊來回傳遞，或許正因如此就更容易混亂。

友誼的法則以及心理變態加以利用的方式

嘉寶（Karen Karbo）在一篇關於友誼心理學的文章中列出友誼的基本法則，融合了古典以及近代的研究。[19]聰明的騙子可能會用這些法則創造出虛假的友誼：了解這些法則，你就懂得保護自己。

1. **規律法則**：你容易和常常見面的人變成朋友。有人研究了一棟雙層公寓內的友誼現象。一般人最容易和靠近的鄰居變成朋友，最不容易和另一層樓的住戶結交，這個結果應該大家都猜到了。心理變態會想辦法和你偶遇，愈來愈熟悉後很自然會成為朋友。

2. **互惠法則**：在人際關係中，我們很依賴互惠法則，給別人一點點，換回一點點。收到朋友給的東西而沒有回報，好人會覺得很尷尬，而朋友給的有可能是資訊、恭維、情緒支援、幫助，或甚至金錢。

3. **親近法則**：在建立友誼時，我們會說出私密的欲望、坦率地提起過去、吐露對未來的期待。能自由分享私人想法的程度通常會決定友誼的因素。心理變態會表現出他透露了他內心深處的祕密（當然全部都是捏造出來的）好鼓勵你依樣畫葫蘆（根據互惠法則），然後拉你深深陷入他的圈子。

4. **富蘭克林效應**：這個法則由之前的美國總統富蘭克林發明，因此用他的名字命名，富蘭克林指出：「相較於那些被你幫助過的人，那些曾經幫助過你的人會更願意再幫你一次。」也就是說，如果你幫過某人，你會相信因為他們值得，你才願意那麼做……因此你願意再度幫忙。對於你曾經幫助過的人，你甚至會覺得更有義務，超過那些曾幫助過你的人。因此鼓勵你施恩給他的心理變態可以仰賴你再度伸出援手……然後再一次……再來一次……，卻不覺得他需要回報。

5. **社會認同支持法則**：這個法則說明選擇朋友的方法，我們會選擇朋友，因為他們支持我們對自己的社會認同。因此，雖然我們相信某某人是我們的朋友，只因為他們的個性，事實上卻是因為他們鞏固了我們的認同。媽媽會跟其他媽媽交朋友；上教堂的人自成一國；名人也會聚在一起。不正派的人也一樣——吸毒的人寧可跟能容忍惡行的人交朋友，而不想理那些鼓勵他們戒掉的人，即使後者表現出的愛明顯超越前者。心理變態會刻意把自己塑造成支持你社會認同的人，你或許會在學校門口、健身房或網球俱樂部碰到他。在這些地方你覺得很自在，因為你能夠融入，正好適合心理變態，你會放下心防，讓他趁虛而入。

佛斯特，幫布萊爾夫人捅了大簍子

很有權勢、備受保護的人也不一定能免於騙子的詭計，二〇〇二年，前英國首相布萊爾的妻子雪莉·布萊爾（Cherie Blair）就付出了高昂的代價。

二〇〇七年，佛斯特（Peter Foster）在澳洲因詐欺被判入獄四年半；他承認從密克羅尼西亞的銀行取得十三萬英鎊，宣稱要用於房地產開發，卻用來付自己的信用卡債務。在這之前，佛斯特曾在其他三大洲坐牢，罪名是販賣假造的瘦身產品和偽造文書。

過去，他說他還不到十五歲，賺的錢就比老師還多，那時候他在澳洲昆士蘭，租彈珠台給公寓大樓。十七歲的時候，他成為「全世界最年輕的拳擊推廣家」，籌畫了一場全球選手冠軍爭奪賽，當時英國和歐洲的輕量級冠軍都前往參加。二十歲的時候他想詐騙保險金，遭到罰款；過了一年他宣布破產。之後他當上電視製作人，拍了一部拳王阿里的紀錄片，那時他跟阿里住在阿里位於洛杉磯威爾榭大道附近的住所裡。然後他開始賣白琳減肥茶，在行銷產品時得到約克公爵夫人莎拉和模特兒珊曼莎福克斯（Samantha Fox）的背書，也變成切爾西足球隊（Chelsea FC）的主要贊助廠商。提到佛斯特的時候，珊曼莎福克斯說：「雖然後來證明他原來是個卑鄙小人，但當我認識他的時候，他就是個個性圓滑、外表英俊的企業家，教了我不少人生的道理。」一九九六年，因為銷售茶葉而違反法律，他入獄服刑，但九個月後就潛逃回澳洲（後來他再度被捕，引渡回英國）。

一九九〇年代，他為澳洲聯邦警察擔任臥底，據稱也曾在英國當過警察。雖然他的過去變化多端，佛斯特透過女友卡普林認識布萊爾夫人，又想辦法變成布萊爾夫人的「金融顧問」，而卡普林則是首相官邸沒有正式頭銜的健身大師。二〇〇二年，布萊爾夫人正式否認狡詐的佛斯特和她私人的財務沒有任何關係，而且否認了好幾次，但幾天後卻不得不承認，她在布里斯托買了兩間公寓，確實是透過佛斯特的建議。問題在於首相的妻子不該接納一名曾入獄的騙子建議，談到很便宜的價格來買下房產。

布萊爾夫人想辦法跟佛斯特撇清關係，但《每日郵報》登出一封電子郵件，她在信裡稱佛斯特為「傑出人物」，說：「我們的頻率相通。」卡普林後來如此描述她的前男友：「他只是個幻象家，這些荒謬的故事完全不可相信。」

最近的消息出現在二〇〇九年，據說佛斯特要擔任中間人，商談澳洲和斐濟的和平協議。

結論和勸告

一生中的友誼常是許多人衡量自我成功的標準，大多數人也會同意，幾名知心好友絕對超過上千個相識的人。因此，當某人出現，看似具備所有適合當朋友的特質，我們就會全心投入。這也是為什麼和心理變態建立的「友誼」在我們發現所根據的只是一堆謊言時，會造成嚴重的損害。信任遭到背叛，會覺得比財物被竊取的傷害更令人心痛。

耐人尋味的是，心理變態學會利用受害者友善的本質，但是友誼的基本條件卻是心理變態察覺不到的：信任、溫暖、忠誠、支持等等。或許正因如此，心理變態想要深入影響別人時，學不到表達友誼的方式，但他卻懂得如何利用一些明顯的基本友誼法則。

很難辨別想跟你建立友誼的對象是不是心理變態，在友誼剛開始的階段，要讓別人知道自己的祕密，我們都必須承擔風險。但你應該要問自己一些問題：他們要求你付出的是否愈來愈多，卻從來不想回報？他們是否會公開嘲弄你？他們是否鼓勵你跟別人絕交，或者利用你認識的人去擴大他們的人際網？真正的友誼有施也有受：你的友誼均衡嗎？

美國密爾瓦基馬凱特大學的心理學家奧斯瓦爾德（Debra Oswald）博士說，要維護友誼，需要透過四種行為：自我表述和持續支持（兩者都是讓人更親近的要素）、互動（你需要寫電子郵件或打電話給朋友，或者登門拜訪）和保持正面積極（有益的友誼會鼓勵我們去好好維護）。相對地，為了終止有害的友誼，你需要停止這四種行為；如果你拒絕提供私密的資訊、不打電話、不支持別人的計畫或願望，心理變態會發現要誘惑你簡直難如登天。

還好，顯而易見的是，一般人很難跟心理變態保持長久的友誼。當凡妮莎頭腦清醒後，決定跟海瑟絕交，海瑟不太可能流淚哭泣，畢竟她不需要別人的陪伴和贊同，只看你對她有沒有利益。

第五章

你約會的對象是不是心理變態？

碰到感情問題，我們需要特別小心。受到別人吸引的時候，我們會放下心防，心理變態就能趁虛而入。他們安排的約會或許很不一樣，令人感到興奮，但恐懼的元素會增加你受到吸引的程度。心理變態的深情凝視超乎想像地迷人。想跟心理變態來場隨性輕鬆的約會其實不簡單：他們很容易馬上表達出深刻的情緒——如果你想要有人愛，就很有可能上鉤。曾有過約會經驗的人，一定碰過很糟糕的約會。但你怎麼知道是約會出了問題？還是碰到了心理變態？

吃晚餐的時候，約會對象似乎比較有興趣跟女服務生講話。付帳的時候，他跟她要了電話號碼，好，我們完了！

＊＊＊

第一次約會，他就對我說，我懷孕的話一定是最美的孕婦。

＊＊＊

在「菁英單身人士」的活動中，有人約我出去，只是後來他才告訴我他已經結婚了。而且他居然不懂為什麼他的行為是不恰當的！

＊＊＊

見到他本尊的時候，他看起來比網路上的照片老五歲，重三十公斤，坐下來抽菸時一直朝我臉上噴煙，當著我的面接起朋友打來的電話，所以我聽到他對朋友宣布我「很正」。朋友問他覺得能不能把我弄上床，他回答：「沒問題，我覺得沒問題。」整個晚上還聽他一直吹噓他心愛的積架跑車，最後我卻連個便車也沒得搭：因為酒駕，他早就被吊銷執照。

＊＊＊

我約會的對象是地產開發商，過了半個小時，他說：「我等不及要帶妳去看我的房子。妳愛怎麼裝潢就怎麼裝潢！」

＊＊＊

我們第一次約會的地點在一家酒吧，他看到幾個朋友進來，對我說：「不要東張西望，我不希望朋友看到我跟妳在一起。我去跟他們聊一下，妳想辦法溜出去。二十分鐘後我會在轉角跟妳碰面。」

＊＊＊

約會過後，她寫電子郵件給我，說她把我的相片印出來裝在相框裡，放在辦公桌上——我們才見過一次面！

＊＊＊

我不懂為什麼約會對象急急忙忙把我推出餐廳。他抓住我的手開始狂奔，我才明白——他沒有付帳。

不同年齡層人士的約會經驗

近幾年來，網路交友快速成長，你想跟誰喝杯酒，就更需要保持警惕。心理變態可以不費吹灰之力就把真實的自己隱身在電腦螢幕後面。他們說謊不用打草稿，隨口就能說出你想聽的話，讓你抵抗不了他們的引誘，任他們為所欲為。一般用來打印象分數的方法也行不通，比方說看看他們的鞋子是什麼樣子（譯按：最近的研究認為鞋子是用來判斷第一印象的重要指標）。畢竟，心理變態有很多偽裝的方式：有可能是領取失業救濟金的人，也有可能是穿著名牌西裝的超級富翁。

挑戰性還會更高，因為奸詐的心理變態會愚弄你：他外表迷人，很懂得奉承，練得很熟的恭維不斷從他口中流出。即使是美國的連續殺人犯邦迪（一九七四到一九七八年間犯下三十多起謀殺案）也交過一、兩個女朋友呢。有可能你的約會對象就是個心理變態，而且見面約會之後你還會想：「他好可愛唷！」他可能帶了一大束花給你，還附帶滿口的甜言蜜語。約會約到一半，或許你正在想要不要點巧克力慕斯當甜點，才突然自問為什麼有些地方感覺不對勁。如果你質疑他的故事，他的回答或許比他的謊言還要可怕。非心理變態被抓到說謊，可能會面紅耳赤，但心理變態的說謊家只會像把蒼蠅揮走一樣，對你的詰問一笑置之。

就心理變態的性格而言，關鍵要素是他感受不到同理心。因此，當他應該盡力讓你覺得自在，而且覺得兩人有很多共同點時，他就做不到。當你告訴約會對象，你心愛的貓咪上星期死了，他卻無法表現出同情的感受，你就要注意了；如果約會對象很會拍馬屁，他卻沒發現當他愈奉承，你卻覺得愈不自在，那就是另一個警訊；要是約會對象說他超迷變態殺人魔電影、重口味色情片或虐待動物，卻察覺不到你臉上驚恐的表情……你應該知道，不該給他電話號碼，對吧？

不需要覺得無可奈何。碰到猛發魅力攻勢的心理變態時，千萬要記得，最好的防禦就是你的自尊心。心理變態或許會選擇地位比他高、工作比他優秀的人（他們最愛名聲），但是，只有容易受傷的人才會變成他們折磨的對象。了解自己的界限在哪裡，如果約會對象逾越界限，並且讓你覺得難受時，想辦法脫身。

我的朋友不論男女，只要是單身，說到網路交友，都有故事可以分享。或許本章的某些約會故事看似好笑，而且就某些方面來說也是笑話，但如果你最後真的跟個心理變態在一起，那就笑不出來了。上網的人變多，網路愈來愈受歡迎，我發現也有愈來愈多客戶在聊天網站或網路上交朋友。我那些罪犯客戶喜歡上網，有三個主要的因素：

1. **網路的匿名性**：我有一個客戶開了二十個電子信箱，好在網路上假冒成二十個不同的人格，其中有十二歲的女孩，也有七十歲的祖父。
2. **網路提供立即的滿足**：按一個鈕，就可以跟別人聯絡，而不用出門到酒吧或辦公室跟他們見面。
3. **網路無障礙**：網際網路讓心理變態可以接觸形形色色的人物，如果沒有網路，花幾輩子的時間也無法碰到這麼多人。

有鑑於此，來看看在網路交友時，如何辨認心理變態的特徵。

心理變態約會對象的七個徵兆

蘇西剛滿四十歲，一年前她離婚了，現在正從打擊中恢復過來。她沒有小孩，但前一段婚姻留下了嚴重的創傷。朋友鼓勵她重新尋找約會對象。蘇西很緊張，但也覺得應該放手一試。她很想再度戀愛，找到一個溫柔體貼的男人，愛慕她，讓她開心大笑。雖然有過離婚的傷痛，但她並不憎恨男性，也願意相信自己能找到新的戀情。所以她上了約會網站。

第一個在線上對她「眨眨眼」的男人是Roger007。她覺得他的照片看起來不錯（深色的頭髮、藍眼睛、俏皮的笑容），也對他「眨眨眼」。不到一個小時，他就寫電子郵件來了，風趣又有魅力，讓蘇西大為讚嘆。交換了幾封電子郵件後，Roger007坦承他愛上蘇西了——著迷到無法自拔。「你是我的夢中情人，」他寫道：「沒有你的愛，我就活不下去。」

蘇西覺得暈頭轉向。她期待有人為她瘋狂，但真出現的時候，這人也太急了。不過，她想，她應該有人愛。所以她的回信也帶有鼓勵的味道，只是不像對方那麼積極。

兩人繼續通信。大多數的信件內容都不錯，Roger007描述一天做了什麼，還有帶狗出去散步。但在最後幾段總有過度熱切的言詞。「我的雙臂只想擁抱你，」他說：「寶貝，我的真心只獻給你。」

有些地方怪怪的，但蘇西也無法具體指出到底哪裡不對勁。她想，或許他就是一個情感很強烈的人。然後她收到一封信，也是Roger007寄來的最後一封。內容很短。「每天晚上，在我的夢裡，我看得到你，碰得到你，」他寫道：「就是這樣，我知道，你一直都在。」

Roger007並未陷入熱戀——他只是抄了席琳狄翁的歌詞。蘇西很明智，立刻封鎖他，讓他無法繼續寫信來。

第一個跟第二個徵兆

Roger007展現出心理變態只有表面魅力的特質。心理變態天生就感覺不到忠誠的同理心。

他們知道愛人想聽什麼樣的話，雖然他們對這份愛根本沒有實質的感受，但為了說給對方聽，他們會模仿從別的地方聽來的話語。碰到有可能上床的對象，他們急於操縱對方來聽從自己的意願，他們一開始就會表達愛意或強烈的情感。由於他們所說的並非發自真心，可能有些地方就會露餡。心理學家用「虛偽的情感」來描述心理變態展現出來的淺薄情緒，正因如此他們會給人「太熱切」的感覺。如果你覺得他們太快陷入愛河，其實你錯了，他們根本不會愛上別人。

不過，蘇西並不氣餒。她想，總會碰到一個適合我的人。接下來Harry69出現了。後來她才明白，這個暱稱洩漏了什麼樣的線索。一開始他很討人喜歡——他喜歡在鄉間長距離散步，也想找到穩定的伴侶，但在第三封電子郵件裡，他提到他在網站上認識的其他女性聊天對象，讓蘇西覺得他似乎只想跟剛認識的人上床。第四封信來了，他提議蘇西跟他還有另外一名女性來個「三人行」，並大肆吹噓他和一對美女雙胞胎上床的經過。還問蘇西喜不喜歡hotsex999.com這個網站？第二次封鎖，Harry69，不用再見了。

第三個徵兆

心理變態很容易覺得無聊，喜歡追求刺激——淫亂的性行為能給他們帶來刺激的感受。向完全陌生的人提議來場荒唐性愛，在他們眼中沒什麼不恰當。就他們看來，這只是為了滿足自己的需要，你說不定可以幫得上忙。

可憐的蘇西，運氣真的不太好。男性的運氣會不會好一點？二十多歲的隆尼工作非常忙碌，沒有機會認識對象。去酒吧的時候，光喝一兩杯酒，也沒辦法判斷對方適不適合自己：他寧可先跟對方通電子郵件，花一點時間彼此認識。Dairylea1976看起來很溫柔。照片中她略帶絕望的表情讓隆尼覺得很可愛。他想，這個女孩需要別人照顧。過了不久，他們就變得無話不說。Dairylea1976告訴隆尼，她的童年過得很坎坷，十三歲之後就不斷進出少年感化院。但這只是因為她想逃避施暴的父親，還有，哥哥每次犯下輕微罪行都找她當代罪羔羊。二十歲那年她曾短暫入獄，根據她的說法，是因為她跟朋友去酒吧時碰到警察臨檢，而朋友把古柯鹼栽贓給她。但她學到了教訓，現在也想重新做人。

第四個徵兆

隆尼覺得Dairylea1976很可憐，但他應該要提高警覺。早期的行為問題就是警訊，他不應該覺得無所謂，更不用說她把所有的罪行都怪在別人頭上。

隆尼向她保證，他明白她受過的苦——他小時候也遇過倒楣的事情。再說，每個人應該都被警察找過麻煩吧？他告訴她，在經歷過這一切後，她很棒，能夠重新站起來。不過，他仍覺得應該更進一步認識對方後，才找機會見面。所以當她建議兩人碰個面約會時，他有點遲疑。他說，或許再過一兩個星期吧，多通幾封信，多聊幾次後再見面。

但Dairylea1976生氣了。她說，拜託，跟我見面吧。然後她透露了一件真的很令人震驚的消息：她只能再活六個月。她不想說，但是她真的很喜歡他，也擔心要是不早點見面，她在過世前就沒有機會再愛一次。

第五個徵兆

這件事當然不是真的。Dairylea1976想騙隆尼跟她見面。「只能再活六個月」或許聽起來太過火了，不過我有一個客戶就碰到這樣的事情——由於同情對方的緣故，他跟她見了面。第一次約會時，就玩弄感情，便是對方想要控制你的徵兆：這是心理變態的計謀，要你言聽計從。如果才剛認識，就對你訴說傷心的故事，你可要小心了（一般人通常會先展現自己最好的一面，之後才會說這些事，不是嗎？），阿諛奉承也不要全盤接納，如果對方的行為想讓你覺得你虧欠了他們，更要小心。比方說，要付晚餐的帳單時，他們不乾不脆，或者千里迢迢遠道而來，只為了跟你見面，那就是想控制你去聽從他們的心意。拜託！只是第一次約會而已。看起來很興奮是應該的，不該表現得像施予你天大的恩惠。

有兩個人在網路上認識，見面時發現其中一人跟照片上長得完全不一樣——這個故事大家都聽過吧。我們的網友Penguin89比他個人檔案的照片看起來至少多了七、八公斤體重，少了三十公分身高。他一點都不覺得慚愧——他放了他弟弟的照片，他解釋說，不然都沒有人回覆他。他的約會對象珍妮佛覺得很失望，不過她也無法否認，也不是只有他會在網路照片作假。不過還有其他的謊話讓她覺得不舒服。Penguin89在電子郵件上告訴她的事情，比方說父親的職業、他去坐牢的地方跟理由、他現在的職業，甚至他侄子的名字和前一次度假的地點，在聊天時才發現全部前言不對後語。珍妮佛質疑，他不是說去年夏天去南美的加拉巴哥群島度假？怎麼現在換成西班牙的太陽海岸了？Penguin89只是哈哈大笑，說：「哦，對了，你說對了，我沒去那個地方。」他的回答消除了珍妮佛的懷疑，不繼續追究下去。

第六個徵兆

Penguin89是個撒謊成性的心理變態。放上你十年前的照片是一回事，用別人的照片又是另一回事。輕輕鬆鬆就把不吻合的故事置之不理，正是習慣說謊的人最典型的反應。珍妮佛決定放棄，把剩下的調酒一飲而盡之後，起身回家，到家後她登入交友帳號，封鎖

Penguin89，從此再也不聯絡。

接下來看看布萊恩的故事吧，他最近遭逢中年危機，在網路上也找不到適合的對象。不過收件匣裡多了一封新的郵件，又燃起了他的希望。他期待Lobster4可以改變他的運氣。之前認識的網友讓他心力交瘁，Lobster4激起了他的好奇心。她年紀似乎跟他差太多了，不過她說她喜歡年紀大一點的男性，布萊恩心想，他也可以享受一下無憂無慮的感受。他們沒討論過工作的事，不過她的興趣卻令人讚嘆：極限滑雪、泛舟、攀岩、越野摩托車……一定要有點錢才能享受這些活動吧？幾封信之後，Lobster4向布萊恩提議，要他第二天早上來接她，兩人一起出去玩。不然乾脆出去玩幾天吧？她知道南部的布萊頓有家很不錯的旅館。他們可以去海灘上野餐，晚上去夜店。布萊恩覺得不對勁，時值三月，天氣還很冷。他好幾年沒上夜店了，跟Lobster4連小酌對談的經驗都沒有，怎麼可能共同出遊幾天……

布萊恩受夠了。他刪掉交友網站上的帳戶，打電話給朋友，約他去附近的酒吧。他一直挺喜歡這個朋友的妹妹。或許是時候該跟他喝一兩杯，討論一下這件事情。

第七個徵兆

在這件事上，布萊恩做對了，他該相信自己正確的直覺。雖然力爭上游的成功人士或許會跟Lobster4一樣，有相同的嗜好，但他應該會發現，每項活動Lobster4嘗試過一兩次之後就失去興趣了。此外，她急著相約一起度假消磨時間，也不恰當，這表示她非常需要刺激。Lobster4跟布萊恩絕對無法發展出穩定的關係。

你約會的對象是不是心理變態？

下面有四個約會對象，你知道誰是心理變態嗎？

A型：妳跟他在網路上認識——他已經對妳說過，妳是他所見過最漂亮的女孩。第一次約會的時候，妳沒有特別準備，妳跟他約在車站附近，挑了最近的一家酒吧。兩人見面的時候，他一開口就說妳令他驚豔，又問能不能摸摸妳的頭髮。進了酒吧之後，他點了兩大杯啤酒和兩杯龍舌蘭調酒。你們開始聊天好增加對彼此的認識。他說他很喜歡越野滑雪和改裝車比賽。更多酒精下肚後，他透露他常常覺得別人會騙他，家人也都討厭他。話題轉向政治後，你們發現兩人對當前的政府有相反的看法。不過當妳說出來後，他退了一步，說他明白妳的看法，再想一想，他其實也同意妳的觀點。主菜吃完後，女服務生過來幫你們添酒，不小心把酒灑在他的褲子上。他質問她為何這麼不小心，要求經理過來——他要餐廳招待你們這一餐。經理說沒辦法全部免費招待，但他可以把酒錢扣掉。但當妳穿上外套，預期約會對象會去付帳時，他卻抓了妳的手就跑。跑了一段路後，他還有點氣喘吁吁，卻建議回他家去。他說，沒問題的，已經準備了保險套。

B型：你們透過共同的朋友認識，朋友覺得你們兩個很登對。第一次約會的時候，他訂了附近的餐廳，晚上七點三十分來接妳。他說妳看起來「很動人」，還幫妳開車門。吃晚餐前你們先去酒吧，他付了兩人的飲料錢，但他堅持不喝酒，因為他要開車。他告訴妳，他的興趣是釣魚和西洋棋，他的父母已經退休了，過得很快活，還有今年他想去西班牙度假。開始聊到政治時，發現你們的看法不一樣，他說妳有道理，但依然堅持自己的原則。女服務生不小心把葡萄酒灑在他的褲子上，他揮揮手叫她不用道歉，自己用餐巾把酒漬擦乾。吃完飯後帳單也來了，妳想要付帳，他卻不肯：「這次我付，那下次換妳，可以嗎？」約會結束後，他提議要送妳回家，在妳臉上輕輕一吻，並問能不能再打電話給妳。

C型：妳跟他在酒吧認識——他稱讚妳的頭髮很美，說他想要買杯酒請妳。第一次約會的時候，他開著跑車來接妳，雖然是冬天，他仍建議到海邊兜兜風。他說妳看起來美極了，又問妳穿什麼顏色的內衣褲。在前往海邊的路上你們停下來，進了一間酒吧，但又立刻離開：他快跟酒保打起來了，因為他覺得妳在挑逗酒保。他說有空閒的時候，他喜歡嘗試各種類型的極限運動以及看恐怖電影。他甚至還吹噓他常常跟別人打架，而且每次都贏。提到政治的時候，妳就首相最近的外交政策宣言發表評論，他立刻大發雷霆，說妳根本不知道妳在講什麼。葡萄酒灑到褲子上的時候，女服務生想幫他擦拭，他卻罵髒話叫她滾開。然後他拉起妳的手，說你們要走了，而且一毛錢都不付。你們回到他家，喝了更多葡萄酒，然後在沙發上做愛。完事後他要求妳立刻離開。妳正要踏出門時，他說明天他也想跟妳見面，不過要晚一點，他要先跟哥兒們出去。

D型：妳在當地的報紙上登了徵友廣告，他寫信來，你們就認識了。第一次約會由妳安排，妳選了一直想去的米其林星級餐廳。知道妳已經訂位後，他似乎有些氣餒，不過他說或許下次可以去他想去的那家餐廳。聊天的時候，他說他沒什麼嗜好，妳說妳喜歡攀岩，他就說或許他也可以試試看。除此之外他幾乎沒講什麼話，說他不想談論自己，但想更認識妳。妳稍微把話題轉向政治，想要試探他的反應，當他發覺你們的觀點完全不一樣的時候，他向妳道歉，他說或許妳才是對的，是他想錯了。當女服務生把葡萄酒灑在他的褲子上時，妳立刻要求經理過來，並要餐廳支付乾洗的費用；而約會對象沉默不語。用完餐後，帳單來了，妳示意他付錢。一看金額他就臉色發白，不過他還是付了帳。約會結束後他開車送妳回家，妳提議要他到妳家坐坐，喝杯咖啡。

答案：

A. 如果約會的對象符合A型的特徵，他不是心理變態，但有些侵略型的行為特徵，很可能會傷害周圍的人。最好不要再跟他出去。

B. 如果約會對象跟B型一樣，他應該是個正常人。但在這裡也看得出來，他雖然正直，但也不像壞壞的心理變態能帶給旁人那麼刺激的感受。妳要評估就長期而言，是否穩定的對象會比充滿刺激的討厭鬼適合妳。

C. 如果妳覺得約會對象正好符合C型，快點避開吧。這是典型的心理變態，喜歡冒險、妳的安全跟他的安全他都不放在心上、像個寄生蟲、無法控制自己的行為、有種理所當然的優越感，並且很有可能放任自己犯罪。不要再跟他見面，他打電話來也不要接。

D. 如果妳約會的對象很像D型，他一定不是心理變態。真要有什麼，應該是妳在自己選擇的約會對象身上大肆放縱妳自己的意願。或許妳應該先好好檢討自己，然後再去找戀愛的對象。

網路大騙子伽克利

二〇一〇年九月，來自倫敦米爾希爾的伽克利（David Checkley）入獄服刑，他利用網路約會，詐騙超過三十名女性，總金額高達五十萬英鎊。許多受害人損失不輕，有一人甚至因此無家可歸。五十三歲的伽克利利用網路找到約會對象，然後訴說傷心的故事來騙她們。他告訴某些人，他得了帕金森氏症，即將不久於人世，又告訴其他人他曾在越南駕駛戰鬥機。然後就跟她們要錢；有時候的藉口是要治病，有時候他則自稱是名成功的建築師或地產開發商，案子正好需要一筆錢。一些女性覺得不對勁，要他還錢，他便會想盡辦法威脅她們，嚇得她們不敢開口。約會對象被他的魅力迷住、相信他的故事、最後則因他的威脅感到害怕。

吊橋之戀

驚恐或焦慮讓人覺得激動難安，吸引力也會跟著增強，正是心理變態的利基。一九七四年，紐約大學石溪分校的心理學家艾倫（Arthur Aron）做了一項令人大吃一驚的研究，得出這個結論。在加拿大的溫哥華，有一座卡皮蘭諾吊橋，用東倒西歪的木條和金屬纜線搭起，橋面狹窄，離地七十公尺，下面是岩石和淺淺的急流；不知內情的男性走上吊橋，他們的年齡介於十八歲到三十五歲之間。走到中間的時候，他們會碰到一名亮眼的女性要他們做問卷，她說她正在調查風景美麗的地方。然後她會問幾個問題，並給他們她的電話號碼，如果對方想知道調查結果，可以打電話給她。

接下來同樣的實驗由同一位漂亮的研究人員在另一座橋上展開，這座橋寬大穩固，離下方的小溪只有三公尺。

結果：穿越恐怖吊橋的男性覺得那名女性更具有吸引力，約有一半的人打電話給她。而在穩固大橋上受訪的男性有十六位，只有兩位打電話。

簡言之，恐懼抓住了實驗中男性的注意力，激發腦內的情緒中樞。這種結識異性的策略當然充滿原創性。理論上，在某些狀況下，我們會把恐懼或焦慮的激動感受誤解成性衝動。因此，如果你帶約會對象去看恐怖電影，她可能會更容易喜歡上你。

但是，非心理變態或許會為了讓你開心，而帶你體驗某種既恐懼又興奮的娛樂（比方說搭一趟雲霄飛車），而心理變態為了在第一次約會時得到刺激[20]，會用每小時一百六十公里的速度飆車到餐廳，但他只為了自己高興，可不是為了你。也就是說，如果他們看到你的恐懼而哈哈大笑，絕對不是為了讓你放鬆下來。

我跟哈利在一家高級的鄉村俱樂部認識，他過來找我講話。雖然我旁邊有好幾個朋友，他處之泰然，跟我要電話號碼。我不想在眾人面前讓他出糗，只好把我的電話號碼給他。第二天他打電話來的時候，我說很抱歉，我沒辦法跟他出去。他又打來兩次，我給他同樣的答案。哈利仍不放棄。他又打了五次後，我同意跟他約在兩個星期後，並且想好到時候再臨時取消約會；我想：「他應該會懂我的意思吧。」但工作太忙了，我忘了跟他有約，結果日子突然就到了。我很氣自己，匆匆忙忙趕到俱樂部，哈利陪我走到餐廳。他去拿義大利千層麵跟紅酒時，我碰到了一位老同學，她發現我約會的對象是哈利，突然臉色大變。她咬牙切齒地說：「快走！」我大惑不解。她說：「他害兩個女人進了醫院。他很危險。如果你拒絕他的追求，他會發脾氣。快走吧。」這時，哈利拿著食物的托盤朝我們走來。我用四分鐘解決晚餐，然後說我要走了。哈利有點吃驚。我只好說謊：「我有男朋友了，我不該來的。」哈利的面色一沉，我趕緊朝我的車子走去，哈利急忙追上來。我伸手擋住他，叫他退回去。我命令他：「不准跟過來，我要走了。」他喊：「那——我們哪時再約？」

網路交友——心理變態的遊樂場

近幾年來，網路交友愈來愈普遍，成長速度前所未見。之前我們可能會認為絕望的人不得已才會上網交友，現在卻是家常便飯，就跟去附近的酒吧找對象一樣。不論你想找什麼樣的約會對象，都有一個網站可以滿足你的需要。或許你住在沒有特色的大城市，或者住在偏僻的鄉村，交友網站簡直就像天上掉下來的禮物。

不過，就跟在真實生活中一樣，網路上有好人也有壞人。你在真實世界中會保護自己，在虛擬世界中當然也需要多提防。不要一下子就對別人掏心掏肺。有人出言挑逗，不妨輕鬆以對。不要太快判定某人是不是「真命天子」（或天女）。面對網路上有可能發展的約會對象，千萬不要期待其中某個人可以填滿你心中沉痛的空虛。如果你暴露了弱點，就更容易變成攻擊的對象。

在網路上可以隨意創造出藏身其後的虛擬身分。那封流暢動人、機智風趣的電子郵件？或許是仔細打造出來的，然後複製貼上，送給幾名不同的網友——發信的本人卻展現不出那樣的機敏和措辭。看到別人的照片也要謹慎（就連最誠實的人也會挑自己最好看的照片放在網上）。查驗背景資料是否前後有出入。最重要的是，等到見面，再確認你真正的感覺是什麼。

第一次約會時的警訊

用下面列出來的項目快速檢查一下：這些項目對應到 PCL-R 的特質（參見第一章），如果約會對象符合一半以上，你已經涉足險地。

★戴婚戒的手指上有圈白色戒痕↓說謊成性

★開車速度太快，或酒後駕車，你勸他也不聽↓沒有責任感

★在街上搭訕你↓易衝動

★期望你沉浸在他的榮耀裡↓浮誇

★為了迎合你而迅速改變意見↓虛偽的情感

★或者……你跟他意見相左時便暴跳如雷↓無法控制行為

★對你很體貼，對服務生或計程車司機則很沒禮貌↓表面的魅力

★借錢付約會的費用↓依賴性強

★假設約會結束時能嚐到甜頭（跟你上床）↓高人一等的優越感

★第一次約會就說要跟你同居↓依賴性強或容易衝動

★表達強烈的情緒或拍馬屁，但看不出你覺得不自在↓缺乏同理心

★訴說可憐或勇敢的故事，他是其中不幸的受害者或英雄↓自戀性人格

★不問跟你有關的問題↓過度強烈的自我價值

是愛？還是慾？

一項以精神健康從業人員（他們在工作時可能需要訪問心理變態）為對象的研究發現，他們會出現好幾種和恐懼及焦慮相關的生理反應，比方說胃部不適、顫抖、心悸和起雞皮疙瘩。[21]聽起來都很像第一次約會時會體驗到的感覺。

但或許荷爾蒙可以解釋這些反應。有人觀察到，很多心理變態會定睛凝視他人，讓對方難以捉摸他們的感覺。我們或許會覺得困惑，害怕的感受油然而生，便讓心理變態有機可乘，想辦法控制別人。

約會對象凝視著你的時候，他是把你當晚餐，還是因為他真的很喜歡你（看著你的時候心中期待飯後甜點），你怎麼判斷他是不是心理變態？

受到別人吸引時，我們會凝視他們的眼睛。這會讓身體釋放催產素，所謂「愛的荷爾蒙」，會激發愛意和性慾的感受。即使一開始對他沒有感覺，那「眼神」卻非常有力。紐約大學石溪分校的艾倫教授讓一對素昧平生的男女相處九十分鐘，討論自己的私事。然後他要求他們凝視對方的眼睛四分鐘，不要講話。很多受試者說他們在實驗後深受對方吸引，其中兩人甚至在六個月後結為夫妻。

女性的催產素通常比較高，尤其會在二十多歲時達到高峰。所以，各位小姐，如果心理變態盯著你看，不要深情回望——不然第二天早上，你可能也搞不清楚為什麼你在那個人的床上醒來，或變成了他的配偶。

光環效應

社會心理學家用「光環效應」來描述根據外表而把形形色色的特質歸屬到某人身上的做法。這是因為我們會讓一、兩個特質蓋過了所有其他特質，就像光環會產生的效果，或宗教形象中的光環一樣。一般來說，我們認為長得好看的人個性比較好，性格比較溫暖，甚至連在床上都比較厲害。對某個人認識不深時，這個效應最有可能出現——比方說第一次約會，或者只看過對方在交友網站上的個人檔案。

我們也比較容易原諒長得好看的人，或幫他們找藉口：研究發現，在法庭上，充滿吸引力的被告比較不容易被定罪。[22]至於為什麼，則有好幾種理論：因為有期待，第一次看到某人的印象會影響後來的感覺；吸引力是很重要的特質，因此我們假設其他的特質也不會太差；我們總把別人分成「好」或「壞」，而不是好壞兼具。

最後，心理變態或許靠著魅力讓你放下心防，如果他們也充滿吸引力，就是一種很危險的組合，因為好看的外表會迷惑他人，並因此得到虛假的安全感。如果你對其他人認識不深，比方第一次約會，或者面試工作，你得要特別謹慎，因為「光環效應」可能會讓你忽略了警訊。

結論和勸告

想要跟人約會，已經夠多磨煉和苦難了，現在還得擔心碰到心理變態。但約會確實會帶來樂趣，所以你要懂得保護自己。

首先，不要太快下定論。即使是心理學家也要花好幾個小時，使用不同的資訊來源，來判斷某人心理變態的程度，所以光憑一次約會無法判斷對方是不是心理變態。

現代人生活忙碌，網路交友應運而生，但能「在真實世界中」跟別人見面，總是比較好，如此，你才能看到對方真實的一面，比方說他們跟朋友、同事或甚至家人在一起的樣子。這時，你可以花一點時間跟他們討論可能會約你出去的這個人。在《More》雜誌（二〇一〇年九月）一篇標題為「回憶錄：我跟心理變態約會的日子」的文章中，蜜雀兒（Chelsea Mitchell）建議我們，如果連約會對象的母親都不喜歡自己的兒子，你要相信她。你不覺得證據十足嗎？連周圍的人都不喜歡他。蜜雀兒說：「我記得他媽媽告訴我，他很冷酷。我心想，這位討厭的老太太又在抱怨了。」

如果要上網交友，選擇成立已經有一段時間的網站，而且成員要付費才能得到最新消息；你的個人資料會得到保障，網站也有防止濫用的政策。確認你可以使用「封鎖」功能，避開不想聯絡的人。

遵守約會安全守則：在公開場合見面、通知朋友約會的地點、安排好能夠自行前往及返家的路線、手機充飽電放在身邊、不要喝醉、不要讓飲料離開視線範圍之外。

小心「資訊氾濫」的人，尤其是他們開始訴說傷心的故事，或告訴你關於他自己看來不可思議的英雄事蹟。問你自己──他們的故事前言對得了後語嗎？還是有很多不一致的地方？

同樣地，你也要小心別讓自己「資訊氾濫」。約會是一個慢慢認識對方的過程。你不需要提供你的地址、一生的故事和你所有的弱點給第一次約會的對象（心理變態最喜歡找出別人的弱點，但是，即使對方不是心理變態，聽了也會想要立刻逃跑）。如果約會對象對你很有興趣，這是好事，但對方如果一直在探聽財務或過度私密的資訊，你就要提高警覺。

不用把約會當成工作面試，但也要記住，你可以試著探詢約會對象關於他們的朋友、家庭，或未來的計畫等等：他們是否能提供一些人事物的細節，而這些是他們宣稱很重要的人事物？

最後，第一次約會的對象或許有些過火的浪漫舉止，或許一直拍你馬屁，但你要保持清醒。要是他太好了，好到難以相信這是真的……或許他真的是個騙子。

第六章

你的孩子是不是心理變態？

為人父母，一定會擔心能不能提供給孩子最好的東西，所以我們寧可相信，光是愛孩子，就能激發出他們最好的一面。孩子變壞的時候，我們一定會困惑，甚至感到恐懼，雖然我們了解在正常的發展過程中，小孩一定會調皮，先是學步兒，再來是青少年，但我們仍然不能了解為什麼愛不能改變一切。

孩子脫離父母，展現出獨立的態度，開始探索世界的時候，學步兒跟青少年一般都表現得非常自私魯莽，不斷測試父母的極限。但要到什麼程度，我們才應該開始擔心孩子跨越了界線，有可能變成心理變態？

還有一個問題，怎樣才是「好的」教養方式。壞的教養方式一看便知——疏忽、虐待、剝削；但過度教養可能會養出自戀狂。而心理變態究竟一生下來就是變態，還是由父母養成的？是否還有其他外在因素，例如常看暴力節目或同儕群體動力，會影響小孩變成心理變態？

如同以往，剛破曉我就被吵醒了，我兒子正把玩具丟到臥室的牆上，發出巨大的聲響。強尼三歲了，但是他「恐怖的兩歲時期」（譯按：小孩進入兩歲後，開始人生的第一個叛逆期）延續了二十個月。這一天會很不好過，我只得鼓足勇氣面對，上樓去看看今天強尼是否穿上我幫他準備好的衣服。不用說，他當然不肯穿。搏鬥了四十分鐘後，他兩腳穿著不成對的襪子、外面套上姊姊麥西的小豬拖鞋、身上是超人的裝束，再披上披風。過去兩個月來，他每天都穿這套衣服；在這之前，則是蝙蝠俠。我覺得還好，不過他相信穿上這套衣服他就可以飛；即使已經進入炎熱的夏天，家裡所有的窗戶都還是關得緊緊的，不然他就會想辦法跳出窗戶。

早餐很快就結束了，但這不是因為強尼很餓。而是因為我才剛把一碗早餐穀片放在他面前，他就全部甩到地上，而且他是直視著我的眼睛翻倒穀片的。

這時我已經精疲力竭，才早上八點而已。我把他放到遊戲圍欄，決定回幾封電子郵件。過了二十分鐘後，我覺得心煩意亂，太安靜了，安靜得奇怪。到強尼的房間一看，他正專心一意撕爛我的日記，一頁一頁撕下來。我不知道他怎麼拿得到我的日記，但我都還沒開口問，他一看到我，就開始哭號，然後倒下來，並用頭撞地板。

我想，或許最好出去一趟，去超級市場好了。他願意坐進嬰兒車裡，但是我幫他選的外套又被拒絕了，他要穿另一件。

很不巧，今天超級市場正好在舉辦特賣活動。一走進去我就看到有個女人在發小盒的雙層巧克力軟餡冰淇淋：強尼已經夠亢奮了，最好不要拿。我想儘快轉頭走到她看不到我們的地方，但是太遲了，強尼看到她了。走到水果區的時候，強尼說他要吃冰淇淋，一直延續到麵包區。他的尖叫聲愈來愈高，超市裡其他人投來的眼光愈來愈嚴峻。結帳時他變安靜了，因為他開始憋氣。等到他臉色發藍，我投降了，去幫他拿冰淇淋；從冷凍櫃抬起頭來時，我看到強尼開心地吃著從旁邊推車上一名藍眼小女孩那兒搶來的薯片。我心情糟透了，所以我告訴他，今天不能去公園玩。他喜歡盪秋千，而且推得愈高愈好。有時候高到我都擔心他會掉下來。當然，我一告訴他不能去公園，他的下唇開始抖動，接著放聲大哭。我立刻覺得我是全世界最壞的媽媽，所以我們還是去公園了。

強尼的爸爸回到家，問他今天做了什麼，他總回答：「我飛到月亮去，然後又飛回來。」他爸爸已經學會，不要質疑他的說法。

老實說，我真的好累。下禮拜我們要去度假兩個星期，一想到要搭飛機我就快吐了。我不知道該怎麼撐下去。

珍妮，三十六歲，精疲力竭的母親

珍妮該不該擔心她兒子展現出心理變態的典型特質？畢竟心理變態總有一個源頭，不是嗎？幻想自己是超人表示個性浮誇、撕碎母親的日記表示不負責任、發脾氣表示無法控制怒氣、隨性換外套是因為衝動，還有，他在秋千上要別人把他推高，表示他需要極度的刺激，飛往月亮的說法則是說謊成性的早期徵兆。但這並不表示強尼展現出或許會讓他犯下殺人罪並坐二十五年牢的長期官能障礙，對吧？

或許強尼只是很普通的學步兒。很有可能就是這樣。雖然有些令人擔憂的研究[23]指出成人的心理變態特質或許可以追溯回三歲時的行為，但假設孩子的「問題」只是自然發展過程中很重要的階段，或許比較好。

孩童的情緒發展中有兩個階段，至少會出現某種程度的「心理變態」特質；強尼顯然正在這個階段。兩歲和三歲的孩童開始發展心智推理技能，但是仍相當自我中心，無法完全辨別幻想和實際。他們開始表現獨立，但無法達到目標的話馬上會覺得挫折；這時候他們會清楚明白的表達感受：尖叫吵鬧、殘忍無情、做出很奇怪的事。

「發展心理變態」的第二個階段則是青少年時期。演化心理學家描述這個階段是「狂飆期」。這時候荷爾蒙、生理變化和愈來愈多的責任串聯在一起，之前很可愛的孩子也會變成好鬥、不善表達情緒、愛生氣的麻煩人物。知名的心理學家艾瑞克森（Erik Erikson）認為所有的青少年都會通過「認同混淆」的階段，悶悶不樂，很在意自己在別人眼中的樣子，也會想辦法用各種行為來抵抗社會加在他們身上的界限。

青少年本性不壞，只是腦子出問題

神經科學家相信，嬰兒的大腦在生下來後第一年內「塑形」，然後在青少年時期也有一些基本的結構重組。[24]和自制力特別相關的頂葉和額葉在十歲到十二歲之間，會突然快速成長。接下來到成年前，突觸連接會劇烈縮小。就跟修剪樹木一樣，腦部似乎會除去多餘的物質，強化有條理的處理途徑。

這表示青少年的行為大多是因為腦部還不夠成熟，還在發展階段，並不表示他們真的非常、非常、非常討厭你（不過，也有可能他們真的很討厭你）。

所以，從行為正常到令人非常擔憂，關鍵時刻在哪裡？

我們可以從心理病態檢核表的青少年版找到解答，這個檢核表適用於十二到十八歲。因為心理變態必有源頭，而孩童的生活體驗不足，沒有機會表現出心理變態的特質，所以專家設計出這張檢核表。我們必須考慮到在衡量核心特質時，必須按著這些特質在青少年時期有可能展現出來的方法。根據檢核表，如果小孩因為好玩而放火燒了臥房、常常對妹妹施暴、跟學校裡的學妹顯然有性行為、不到十二歲就曾被逮捕十四次……那麼，父母該要擔心了。**前提**是，你一直為他提供穩定且有愛的家庭、前後一致的紀律、他不曾遭到任何人（可能是你的朋友、學校裡的人或你的親戚）虐待，比方說霸凌、疏忽、肢體暴力或性侵。

心理變態的成因為何？

心理變態是先天，還是後天養成的？科學家還沒找到確切的答案。換句話說，心理變態完全始自基因，還是不當教養的產物？生長在充滿愛的家庭中，長大後仍有可能展現出許多心理變態的特質嗎？（希特勒的媽媽正常嗎？跟其他的媽媽一樣溫柔親切？）是否有些父母無能為力，只能驚恐地站在一旁，看著他們的「小天使」不斷違逆父母的信任和愛？

專家有好幾派想法：我們是環境的產物，或者是基因的產物，或者兩者都是重要的影響元素。就我們所知，心理變態展現出不同的神經生物學異常，比方說，在測量腦部電氣活動的研究中，受試者要讀出和辨認電腦螢幕上閃過的詞，結果顯示，「一般人」對於「死亡」或「強暴」等生動的字眼反應比一般的詞彙快。心理變態的大腦則不會區別。但是科學家無法判斷，大腦中的差別在出生前就決定，還是在年幼時定型。

為數眾多的心理變態曾在年幼時遭受暴力對待，他們從父母那裡承襲了侵犯和虐待的行為，並且在日後的暴力犯罪中重現；但有更多受虐的兒童長大後並未走上心理變態的路。

海爾認為，「心理變態出自生物因素和社會力量間複雜的相互影響，我們能了解的很少。」[25]也就是說，心理變態的成因結合了先天和後天的因素。研究顯示，來自不穩定家庭背景的罪犯第一次上法庭的平均年齡是十五歲，而背景相較之下比較穩定的罪犯，第一次上法庭的平均年齡則是二十四歲。這表示家庭不正常的罪犯很有可能更早開始犯罪，但這個原則僅適用於非心理變態的罪犯。

心理變態的孩童平均從十四歲就開始犯罪，**不論**他們是否擁有穩定的家庭背景。簡言之，即使心理變態的孩童在良好的家庭中長大，仍有可能在很小的時候就開始犯罪活動（但海爾也承認，心理變態也會受不穩定的家庭影響，背景不正常的心理變態更有可能犯下**暴力**的罪行）。

海爾也要強調，父母不能因此完全脫責：「教養行為或許不完全是造成混亂的基本原因，但是和症狀的發展及表現卻有很深層的關係。」

毫無疑問地，孩童在發展良知時，會跟隨他們心中的模範。也就是說，如果你要你的兒子或女兒學習對錯之間的差別，**你**需要以身作則。孩童需要從可靠的經驗中學習，在心理變態的文獻中，我們常看到嚴格或矛盾管教的字眼出現。

劍橋大學的少年犯罪發展研究

這是史上延續最久的犯罪行為研究之一，對象是四百一十一位男性，年齡從八歲到四十八歲。一九六一年，研究人員從倫敦南部貧民區的勞動階級家庭中選擇受試的孩童，在他們成年後進行了多次評估。這項計畫的目的是要研究青少年犯罪的促成因素，以及後續是否有繼續犯罪的可能性。

研究發現，一半以上的受試對象曾經犯法，犯罪高峰期出現在十七歲。但很早就開始服刑的人犯罪次數最多，成年後仍會繼續犯法。曾經在十歲到十六歲之間受審的人，犯罪次數占研究中紀錄罪行的百分之七十七。這一群人當中有百分之七是「慣犯」，所有的罪行中有一半是他們犯下的，犯罪紀錄還不斷增加，直到他們四十多歲的時候。因此，研究結果證實，青少年很容易違法，但是不會持續犯罪，也不一定從小就開始。

慣犯受審的平均年齡介於十四到三十五歲之間。受試對象是一般非心理變態的青少年，平均來說他們的犯罪行為最常發生在十七歲。一般的青少年可能會偷竊商品、想辦法偷車，以及其他類似的輕微罪行，但十七歲過後，他們似乎就戒除了惡習。而比較嚴重的罪犯（也有可能是心理變態）則會持續犯法，過了二十多年後，次數才有可能逐漸減少。這或許是因為他們去坐牢了，也有可能是因為他們變成熟了，或者厭倦了犯罪生涯。

研究也發現，可以從孩童八歲到十歲之間出現的危險因子，預測哪些人有可能變成慣犯。這些因子包括：

- ☆缺乏教育。
- ☆出自貧窮家庭；家中人口多、收入低、居住狀況不佳。
- ☆父母的管教方式非常嚴厲獨裁、無法好好監督小孩，或長期分居。
- ☆過動、無法集中注意力、坐立不安、喜歡冒險、行為衝動。
- ☆在學校出現破壞性行為，包括說謊和侵略性。
- ☆父母受審，和／或兄弟姊妹是青少年罪犯。

心理變態孩子的七個徵兆

接下來的研究案例是兩兄弟，都是青少年，我們可以看看何謂正常，何謂心理變態。

湯姆和彼得是雙胞胎，只差了幾分鐘，但從一出生，兩人就很不一樣。嬰兒湯姆很沉靜，總是面帶微笑，彼得卻很愛尖叫。然而，小時候他們非常親近，在彼得慫恿下，湯姆會跟他一起調皮搗蛋，讓他們的父母快要抓狂了。

不過，至少表面上看起來是這樣。因為湯姆看起來很老實，但他可不一定無害（學校老師抱怨過他的破壞行為，還有一次很惡劣的行為，鄰居控訴他放火燒他們的後院小屋）。而彼得雖然總是弄得全身髒兮兮，像個壞小孩，卻不一定有錯。事實上，兩人進入青少年時期後，父母也開始懷疑：哪個好，哪個壞？

十五歲時，彼得幾乎一天到晚黏在鏡子前面擠痘痘，頭髮梳了又梳，一心希望趕快長出鬍疪。每天早上都讓他的父母和兄弟大為光火，猛敲浴室的門，但彼得一定要等到**他**準備好了才肯出來。

另一方面，湯姆對自己的外表充滿輕率的自信，常常吹噓他如何把學校裡最漂亮的女孩玩弄於股掌之間。雖然成績愈來愈差，他卻不擔心未來，別人問他將來想做什麼，他都回答「要在城裡幹件大事」，不到二十一歲就要成為百萬富翁。老師問他作業做了沒，湯姆只會聳聳肩，說老師出的題目讓他覺得很「無聊」——下次能不能給他更有挑戰性的作業？

第一個徵兆

彼得的作為雖然令人洩氣，卻是青少年典型的自戀徵兆；普通的青少年除了對自己變化的外貌非常敏感，也會非常吹毛求疪。但湯姆沒有類似的焦慮，他的自信似乎已經成為不得體的自誇，也是心理變態過度看重自己的特質。

星期六，湯姆和彼得帶了兩個女孩去遊樂場約會。他們玩了所有的設施，但彼得堅持要帶他約會的對象重玩好幾次巨大瘋狂雲霄飛車。第三次的時候她已經臉色發青，第五次還沒開始，她剛吃下的棉花糖已經有可能要吐出來了，但是彼得覺得很好玩，繼續去買票，還要她別這麼「掃興」。

這時候湯姆玩膩了雲霄飛車，帶他約會的對象去玩鬼屋火車。她覺得很幼稚，一點也沒興趣，但火車起動時湯姆放了個東西在她嘴裡……是一顆搖頭丸。湯姆自己吞了兩顆。她發現的時候覺得很害怕，湯姆卻只哈哈一笑。他說，不用擔心，他常常吃搖頭丸，如果她覺得不安心，他可以捲一支大麻菸兩人一起抽。

第二個徵兆

青少年都喜歡刺激，雖然彼得很自私，拖著他快要吐出來的可憐小女朋友一次又一次重搭票價便宜的雲霄飛車，但他只是一個典型的青少年。在這個年紀，他們相信自己無往不勝（學步兒也這麼以為；這是天生的需要，好給他們勇氣去探索周圍的世界）。然而，湯姆使用毒品的習慣表示他還有更邪惡的一面，尤其是他還逼約會對象也要嘗試。濫用藥物的習慣不改，他的父母親就要小心了，因為他還有可能結合其他的行為，例如尚未取得駕照前就開快車、踩著滑板衝向車來車往的街道，以及挑戰夜店魁梧的保鑣跟他打架。別忘了，心理變態愛好刺激，青少年心理變態常有濫服藥物的習慣，因為價格便宜，而且很容易買到，又能立刻帶來刺激。

湯姆的爸媽不知道該拿他怎麼辦，尤其是因為他不斷說謊，通常也沒有什麼特別的理由：把穀片吃完然後把空盒放回櫃子裡；郵差來的時候他總是正在睡覺；他們吩咐他餵狗，他騙說他做了；他說他房間裡的毒品是彼得放的。但是彼得也會說謊——他說跟朋友在一起，但他的爸媽認定他跟新女友過夜：如果他跟新女友發生性關係，她還未成年，彼得就犯法了。

第三個徵兆

從表面看來，彼得的謊言比較嚴重，但大多數青少年都不想讓爸媽知道他們的私人生活，尤其善於隱瞞他們的性生活。事實上，湯姆不斷說謊，才應該令人擔憂，特別是他說謊並不為了實際的利益，只是想要一時的興奮。

說謊也可能是好事

《周日泰晤士報》（*The Sunday Times*）有篇文章〈相信我，懂得撒撒小謊，做人才會成功〉。[26]文章中提到多倫多大學幼兒研究中心的李康博士（Kang Lee）做的研究，對象是一千兩百名孩童，他把小孩留在教室裡，叫他們不要看背後的玩具（他們當然會回頭看）。稍後他再問小孩是否照做。李博士結論說，很多學會說謊的小孩已經到了心智發展的一個重要步驟。認知能力最強的小孩最懂得說謊，表示他們已經發展出「執行功能」，能夠把真相留在心裡，好讓他們的謊言更有說服力。

兩歲的時候，百分之二十的小孩會說謊，到了三歲則提高到百分之五十，四歲時則高達百分之九十。這個趨勢在十二歲時達到頂點，幾乎所有的小孩都會說謊（但不會一天到晚說謊），到了十六歲則下降到百分之七十（和成人比較，科學館（Science Museum）的研究發現，一般男性每年會說一千零九十二個謊話）。研究人員說童年時期偶爾說謊，成年後不一定會在考試時作弊或變成騙子。父母嚴格的管教也不會造成影響。

某個星期五晚上，湯姆和彼得的爸媽因著兩個兒子的怒氣而精疲力竭。門禁時間過了兩個小時，彼得才回來，爸爸質問他去哪裡，他怒氣沖沖衝上樓，把他通過的每扇門都摔上，大吼：「你懂個屁！」

湯姆搖搖晃晃走進門，遮掩自己手上的傷痕——有幾次是警察送他回來，因為他在酒吧裡打架，跟別人一直打到街上。湯姆不肯悔過，每次一定都是別人的錯，別人表情古怪地看著他、和他的女朋友曖昧地聊天或把飲料灑在他的牛仔褲上。然而，有天晚上他揍了一個警察，這就比較難解釋了。如果爸媽跟他理論，說他不可能每次都沒有責任，湯姆會猛擊最近的牆面，痛苦哭喊：「你看！都是你們害的！」

第四個徵兆

彼得勃然大怒，只是青少年失意時的典型反應，想要重申他的獨立，脫離父母的束縛。但湯姆表現出心理變態的特質，常常發脾氣，只要一點點不如意，他就無法克制，一定會大發雷霆。

爸媽想，要是兒子願意準備面對外面的世界，計畫未來要過美好的生活，這一切都還可以忍耐。朋友的孩子都忙著在暑假增加工作經驗，彼得卻每天睡到過午才起床，醒來只為了花幾個小時上他最愛的臉書。而湯姆呢？雖然一直說二十一歲前要變成百萬富翁，卻常常曠課，還錯過幾項會考。

第五個徵兆

年輕有活力的人正該享受人生中令人興奮的階段，但青少年卻每天花時間睡覺，不然就盯著電腦。難怪爸媽要發狂了。不過彼得的行為正符合他這個年紀的男孩；研究顯示，青少年的生理時鐘和孩童及成人不一樣，所以他們會熬夜，早上又起不來。[27]然而，湯姆的症狀比較令人擔心，他缺乏實際的目標。雖然他會說大話，要當百萬富翁，卻沒有實踐的計畫，甚至連先取得必要的資格都做不到。心理變態認為他可以「臨機應變」，能夠心想事成——即使他連目標是什麼都不知道。

就在上個星期，雙胞胎的父母擔心到要發狂了，彼得的老師打電話來，說他那天沒到學校——他去哪裡了？夜半時分他依然沒回來，他們差點就要打電話報警。彼得這時才打電話回家，他決定搭三個小時的車去聽演唱會，那是他最喜歡的樂團。他們很生氣，不過起碼知道兒子沒事。

一波未平，一波又起，星期一的時候，湯姆回到家，宣布他拋棄了他最要好的朋友，也決定輟學。他說：「學校沒什麼好教我了。」他告訴爸媽，他要去「做生意」，不過他前三份週末的打工都失敗了，因為他沒去上班。

第六個徵兆

青少年都曾蹺課，跟朋友鬼混一天，或跟著心愛的樂團走到天涯海角（或起碼到火車的終點站），不是嗎？那只是一個過程。雖然彼得的父母發現兒子半夜沒回家而憂心忡忡，他們更該擔心湯姆衝動的行為，只是一時高興，他就放棄了計畫、朋友跟承諾。

湯姆和彼得的父母雖然偶爾要面對令人無所是從的難關，他們仍努力灌輸孩子責任感。他們覺得自己失敗了。彼得的第二隻倉鼠只養了四個月就死了。有可能是沒水喝，也有可能是彼得覺得好玩而對著這可憐的小動物噴大麻菸。湯姆呢，似乎害死了家裡的狗。他的「實驗」失敗，狗也死了。故意把球從三樓窗戶丟出去，在後追趕的臘腸狗怎麼活得了？爸媽（或鄰居）也不知道，後院裡還埋了其他沒通過實驗的四條腿動物。

第七個徵兆

彼得害死了寵物倉鼠，是很嚴重的事，雖然現在我們已經知道，就算跟湯姆比起來，彼得也不是模範生。但是湯姆對待家中寵物的方式冷酷無情到令人屏息。虐待動物也是心理變態潛伏的一個警訊，湯姆的爸媽應該明白，是時候去尋求專業諮詢了。

孩子只是調皮，還是有其他原因？

❶ 今天是四歲的喬治第一天上學，你去接他的時候，老師要你借一步說話。她說：

(A) 喬治一直跟別人打架，還咬人，只好叫他去牆角罰站。

(B) 喬治一直追逐女孩子，想要親她們，把女生都弄哭了，只好叫他去牆角罰站。

(C) 其他的小孩還在沙坑裡玩，喬治卻把膠水倒進去，只好叫他去牆角罰站。

❷ 今天你妹妹就要結婚了，你六歲的女兒麥希預定要當花童。但是早上八點的時候，你發現她：

(A) 躲在樓梯下的儲藏櫃裡——想到教堂裡會有很多人盯著她看，她就不自在。

(B) 正把花童的禮服剪成碎片——還好她只剪下了左邊的袖子。

(C) 叫醒了你的妹妹，問她上星期是否也看到「姨丈」吻了對街的珍妮？

❸ 八歲的麥可一早上都很安靜地待在房間裡。你應該要享受難得的平靜時光，但你知道：

(A) 麥可很有可能正在折磨倉鼠，把那可憐的小東西戳醒，在牠頭上塗髮膠，幫牠塑個龐克頭，要牠跟忍者龜公仔打架。

(B) 麥可很有可能正在哥哥的電腦上玩你們禁止的暴力遊戲，他趁著十幾歲的哥哥在睡覺的時候駭進他的電腦。

(C) 麥可很有可能拿了妹妹的絨毛玩具，幫它進行「開心手術」，等妹妹上完芭蕾舞課回來給她一個驚喜。

❹ 你的生日到了，十二歲的蘇珊承諾要送你一份禮物。你趁機賴床，心中充滿期待。

(A) 蘇珊把你的早餐送到床上——一包薯片和一大杯伏特加。

(B) 蘇珊偷偷從後門溜出去，到了晚上六點才回家。

(C) 蘇珊也比較晚起。等到中午她終於起床了，你問禮物在哪裡，她只哼了一聲，又躲回自己的房間。

❺ 十三歲的提姆放學後直接進了自己的房間，除了下樓拿晚餐，一直躲在裡面不出來，你不知道自己該不該擔心。他很有可能：

(A) 把音量開到最大，連聽了兩次死之華的專輯（有時候還倒轉，看看歌詞中是否真的有撒旦的訊息）。

(B) 在電腦上玩Mash 'Em Up，不肯收手。

(C) 在翻閱《巨乳》雜誌（你發現他把雜誌藏在床墊下面）。

❻ 你太開心了，十五歲的約翰被選為足球校隊的隊長，但你只高興了一下下，因為：

(A) 體育老師打電話給你，告訴你約翰失去了隊長的職位，因為校方發現他跟同班的女生在淋浴間裡赤身裸體。

(B) 體育老師打電話來解釋說約翰不能當足球隊的隊長，因為他被抓到踢假球——他的好友負責開賭盤。

(C) 約翰當上隊長後的第一次比賽他卻缺席了——他搭火車去找女朋友。

❼ 星期五晚上十一點，門鈴響了。警察跟你十六歲的兒子馬克站在門外。警察還沒開口解釋，你就要他閉嘴。你早就知道發生了什麼事——過去六個月來，每個星期五晚上都發生同樣的事情。

(A) 馬克到附近的酒吧，想把家裡的電視設備賣掉，結果被逮捕。

(B) 馬克在附近的酒吧，想買大麻，結果被逮捕。

(C) 馬克到附近的酒吧，結果被踢出來，後來在公園裡被發現，身邊丟了很多啤酒罐。

❽ 週六夜逼近了。你想勸十七歲的女兒露西留在家裡陪你看《星光大道》（*The X Factor*）。但你知道，她其實想：

(A) 跟同社區的朋友鬼混，對著經過的車子扔石頭，喝加了紅牛提神飲料的伏特加喝到爛醉。

(B) 跟同社區的朋友鬼混，和附近一個滿臉青春痘的男孩在壞掉的電梯裡做愛。

(C) 跟同社區的朋友鬼混，而且最後一定會打架，也一定會招來警察。

❾ 你告訴十八歲的賽門，考完高級會考後，他不能跟朋友去太陽海岸度一個星期的假。太貴，也太危險了。他對你大吼：

(A) 「我恨你。我希望你死掉。」

(B) 「我一定要去，你不准也一樣。」

(C) 「我要讓你後悔。等著瞧。」

❿ 隔天就是新年，你帶全家去度假，希望午夜來臨時，家人會聚在身旁。結果：

(A) 青少年不到晚上十點就昏迷了，他們偷了一瓶龍舌蘭酒，從下午就開始喝。

(B) 青少年去海灘參加營火派對，拒絕回來參加家庭聚會。

(C) 青少年去了附近的夜店。

答案：

不論你勾了幾條，你的孩子一定都很淘氣。但不論你有多希望可以把他們鎖起來，然後把鑰匙丟掉，他們都不是心理變態。他們只是正常的孩子。別擔心，或許要忍耐二十年，但這個階段總會過去……

有可能和心理變態拉上關係的行為更令人困擾，包括從其他小孩或父母處偷竊、破壞公物和縱火、傷害或殺害動物、霸凌、很早就開始性行為和實驗性虐待（尤其是強迫其他小孩合作）、逃家和曠課、對訓斥和處罰漠然以對。別忘了，心理變態展現出來的行為千奇百怪，所以發生一兩次意外，你並不需要緊張。

誤將注意力不足過動障礙症（ＡＤＨＤ）當成心理變態

研究顯示心理變態傾向和ＡＤＨＤ有很高的「共病現象」，也就是說，這兩種症狀常常一起出現。[28]此外，心理變態的孩童中有高達百分之七十五會出現ＡＤＨＤ。[29]兩者之間的連結非常模糊，牽涉到很多需要進一步探索的因素。英國科學家最近在研究ＤＮＡ節段時，第一次發現和ＡＤＨＤ有關的基因。發現這新知識後，表示患有ＡＤＨＤ的孩童很可能一小段很重要的ＤＮＡ不見了，或在基因組中複製了。[30]而心理變態尚未出現類似的證據。看來，心理變態身上出現的大腦障礙似乎和ＡＤＨＤ很不一樣：心理變態跟腦部杏仁核出現障礙有關，但在ＡＤＨＤ患者找不到這樣的關聯。[31]

精神病醫師很有可能會誤診ＡＤＨＤ患者是心理變態，老師跟父母也有可能判斷錯誤，因為患者一直「淘氣」，而這兩種症狀展示出來的行為可能看起來很類似。患有ＡＤＨＤ的孩童在校成績不好，也會受到同儕排斥，因為他們在玩遊戲以及和同學互動時的表現不恰當。這些孩子在別人眼中是破壞王，行事跟別人不一樣，在家中也會造成緊張，父母親也覺得無能為力。父母有可能放棄孩子，也有可能在管教時前後矛盾，或者過於嚴厲。因此，患有ＡＤＨＤ的青少年認為自己屬於「壞孩子」那一群，跟有類似難題的孩子變成一國，也很有可能在青少年時起就開始犯罪。

沒有效果的獎勵和處罰

所有的孩子都需要清楚可靠的紀律，但是，愈有可能發展成心理變態的孩子愈需要堅定不移的管教方式，讓他們更有機會明白對錯之間的差異。「被動迴避」（passive avoidance）這個心理學術語指小孩學會了要回應能給他獎賞的事物，同時避免可能會帶來處罰的東西。比方說，你在小時候很快就學會，懂得說「請」，你就可以吃冰淇淋；咬媽媽的腿，你會被關到臥房裡。

至少，大多數的小孩都會學習。我們已經看到，心理變態從懲罰或獎賞中學習的能力特別弱。事實上，弱到就算給他們金錢或香菸當作學習的誘因，他們仍會犯下「被動迴避錯誤」。[32]即使被罰坐，或答應只要乖乖的就能拿到糖果，但是小孩仍不斷犯錯，未來很有可能變成心理變態。偶爾有回應的小孩不算，而是**從來不**回應的孩子；他們跟其他人不一樣的地方就是一直學不會。

科技會讓我們變成心理變態嗎？

美國有位青少年派崔克（Daniel Petric），因為爸媽拿走他的電玩遊戲機，他用槍射穿了他們的頭。他想要玩「最後一戰3」，一種第一人稱射擊遊戲。犯下命案時，派崔克只有十六歲；他的父親是傳教士。接受偵訊時，他一開始說他爸爸用槍打死了媽媽，然後又用槍自殺

（他的父親活下來了，他的證詞和科學鑑識都牴觸派崔克的說法）。

在射殺父母前，派崔克走到他們身後，說：「你們把眼睛閉上好嗎？我要給你們一個驚喜。」逃離現場時，他沒忘了帶走遊戲機。

證據中不斷提到「最後一戰3」，遊戲片也和派崔克用來射殺父母的九厘米手槍鎖在保險箱裡。這個案例針對電玩成癮的本質引發了強烈的爭議（據說有一次派崔克連打了十八個小時）。被告律師提出一個理由，宣稱派崔克應該要減輕刑事責任，因為他打電動打到他不明白射殺父母的後果是什麼。他被判入獄二十三年，到了二〇三一年才能假釋。

我們先不要責怪電玩產業是派崔克辣手弒親的元兇，科技跟心理變態並沒有關聯。暴力電玩遊戲和孩童或成人的嚴重暴力行為之間沒有決定性的關係，但**有可能**暴力遊戲提高了我們的「暴力門檻」，讓我們對極端的行為更加麻木不仁，甚至還讓我們得到獎勵——畢竟，在遊戲中殺人會得到分數，讓玩家不假思索就能接納侵略行為。

孩童常常模仿在螢幕上看到的東西。所以你真的願意讓他們花好幾個小時玩殺人遊戲嗎？如果影像特別寫實，孩童更容易混淆幻想和現實。畢竟，二十一世紀的電玩遊戲和卡通《湯姆與傑利》（*Tom & Jerry*）裡的滑稽動作差了十萬八千里。色情圖片以及暴力的電影和遊戲需要有年齡限制，不是沒有理由的，一定要注意！

打電玩、花太長的時間看不恰當的成人電視以及霸凌之間已經確立了關聯。[33]科學家研究了六到十歲大的孩子後，發現那些會在遊樂場霸凌別人的小孩看電視的時間超過其他孩童（平均每天五個小時）。不過他們沒有指明（有可能無法陳述）其中的關聯究竟為何。

研究顯示，電玩遊戲某些元素可以支持孩童的認知及動作發展，甚至能促進身心健康。[34]教育主題的電玩遊戲能鼓勵思考和創意，不光是速度而已，還有一些遊戲鼓勵社交，都有正面的效果。

我建議，對待媒體的態度就跟對待糖果一樣。不要讓孩子一直吃，節制地享用就沒有問題。大多數小孩一個星期會花七點七個小時玩電動，但待在電視前的時間則長達三十二點一個小時。[35]花這麼長的時間看電視並不健康：每天看兩個小時的電視對孩子來說就夠了。如果你擔憂孩子花太多時間待在電視或電腦的螢幕前面，可以參考歐潤姬（Teresa Orange）和歐弗琳（Louise O'Flynn）的著作《為孩子選擇良好的媒體》（*The Media Diet for Kids*）。[36]

青少年殺人犯現象

一九九九年，十八歲的哈里斯（Eric Harris）和十七歲的克萊伯德（Dylan Klebold）走進他們就讀的哥倫拜恩高中，槍殺了十三個人，造成二十三人受傷，然後引彈自盡。早在一年多以前，他們就開始計畫這次攻擊。美國和世界各地類似的案件多到令人擔憂（從一九九六年到本書付梓時，世界各地的學校槍擊事件上報的多達四十八次），為人父母者現在也擔心同樣的案件開始在英國浮現。槍擊事件發生後，大家開始爭論校內次文化以及「風雲人物」和「邊緣人」等小圈圈的衝擊。哈里斯和克萊伯德屬「哥德」派（譯按：多半穿黑色衣服，對死亡議題有興趣，給人幽暗神祕的感覺），不受大家歡迎。

媒體向來把青少年殺人犯描繪成「孤僻的人」，但美國特勤局的研究發現，他們沒有特定的「類型」；有些人也有朋友，甚至來自「理想的典型美國家庭」。[37]

不過殺人犯確實有共同的特徵。首先，大多數是男性：我們知道的青少女殺人事件只有兩起——愛爾蘭搖滾樂團新城之鼠（Boomtown Rats）的主唱蓋朵夫（Bob Geldof）聽說十六歲的史賓瑟（Brenda Ann Spencer）殺人後，有感而發寫下了「我不喜歡星期一」這首歌。史賓瑟在加州的一處遊樂場殺了兩個大人，傷了八個小孩和一名警察，她解釋說：「我不喜歡星期一，殺人後這一天感覺更快活。」殺人犯也覺得受到同儕排斥。在調查哥倫拜恩槍擊案時，美國聯邦調查局得出結論，這場屠殺應該由哈里斯策畫，他是心理變態，「優越情結高到以救世主自居」；克萊伯德變成共犯，則是因為他覺得很沮喪。[38]

世界各地的槍擊事件愈來愈普遍，當爸媽的必須要留心，孩子表現出來的行為或許暗示他們有可能犯下如此的滔天大罪。聯邦調查局寫了一篇文章，告訴讀者如何評估未成年人的威脅。[39]他們強調，他們提供的指標無法預測未來，光靠一兩次事件，或孩子一生中「很糟糕的一天」，也無法做出適當的評估。到校園射殺別人這麼暴力的行為，在家裡和學校應該都會看出徵兆，就跟我們在這本書裡強調的一樣，心理變態只是展現出許多心理變態特質的人。

在評估青少年是否會實踐自己的威脅時，他們建議父母和老師檢驗幾個領域。包括學校、社交，和家庭的動力，以及孩子的個性，不過「透露」則被視為一項很重要的線索，透露之後，暴力行為或許就跟著來了。「透露」指學生有心或無意地洩露出自己的感覺、思維、幻想、態度或意圖，暗示暴力行為可能會出現，有可能是不著痕跡的威脅、吹噓、諷刺或最後通牒。表現的型式包括日記、歌曲、詩詞、隨手亂畫、刺青或影片。如果學生又說「沒什麼」，或許這些線索就煙消雲散。但「透露」有可能是絕望的呼救，代表內心的衝突，有時候，自誇看似空虛，事實上卻是真正的威脅。

我們要用正確的態度來處理：就統計而言，校園槍擊案的實際威脅性很低。在評估是否有可能發生時，學校和學生家長都需要確認，他們能從各個角度來估量孩童的生活——在家、和朋友在一起、在學校。文末指出：「暴力行為會漸進發展」，所以孩童身邊的成人要負責監控，在侵略性發展的過程中是否有顯著的徵兆。

布萊恩・布萊克威爾的故事——「完美兒子」變成殺人犯

二〇〇四年九月五日，英國利物浦的兩名警察接到布萊克威爾家附近鄰居的報案電話後前往查看。鄰居注意到他們家有股很強烈的味道，仔細一看，窗戶上停滿了厚厚一層的蒼蠅。雖然鄰居已經好幾個星期沒看到布萊克威爾夫婦，但他看到他們的兒子布萊恩（Brian Blackwell）出門了。

警察在房子裡發現七十一歲的席尼和他六十歲的妻子賈桂琳，兩人的屍體都已嚴重腐爛，身上有多處嚴重的傷痕。

警方馬上發現，他們十八歲的兒子布萊恩在他女朋友家。他說，最後看到父母的日期是七月二十三日，那天他前往美國度假，之後只回家過兩次：一次在八月十日，拿鑰匙去修車廠取車，另一次是「兩三天前」從前門拿信。警察立刻對他提出警告，以涉嫌殺害父母的罪名逮捕他。布萊恩被判終生徒刑，為了減輕刑事責任，他承認犯下過失殺人罪。二〇一一年七月，他本有機會得到釋放，但判刑的法官說：「目前的證據指出，永遠不太可能達到結論（指布萊恩對社會沒有威脅）。」

認識布萊克威爾一家的人聽到消息都很吃驚。布萊恩是模範生，贏得藝術獎項和念私立學校的獎學金，會考的成績全部是優等，諾丁漢和愛丁堡大學也發給暫時的入學許可，接受他進入醫學系。甚至在網球場上他的表現也很優異，奧地利有家公司發給他一小筆贊助經費。

但再仔細看看，布萊恩並非完美無缺。從小他就很習慣說謊；最早的情況是對同學謊報學術能力測驗的成績。轉到新的學校後，他沒交到什麼朋友，前兩年都獨自在圖書館吃午餐。十五歲的時候他開始「跟隨」一群人，但認識他的人都說他「自大」或「相當驕傲」，還有人說「與其說他愛騙人，不如說他很愛誇大」。

二〇〇四年初交到第一個女朋友後，布萊恩誇大的言語升級成極端的謊言。他告訴女友英國耐吉（Nike）是他的贊助商，一年資助七萬九千英鎊。他說，他打網球贏到一些獎金，想買一台保時捷或賓士；甚至還帶女友去看車。

不久之後，他承諾要買車給女友。然後他告訴女友，她可以當他的經理或私人秘書，薪水由耐吉付。年薪是八萬兩千五百英鎊，津貼兩萬英鎊，交際費用九萬六千英鎊。他甚至給女友看了耐吉寄來的電子郵件及文件，看不出是真是假，要她填好申請表，簽下篇幅長達五十五頁的合約。然後布萊恩開了一張三萬九千鎊的支票，當作三個月的薪水。支票跳票了，還跳了第二次，而布萊恩怪在母親頭上，說她「對他的帳戶虎視眈眈」。事實上，他得要求銀行止付：他透支了九便士（譯按：一英鎊等於一百便士）。

那年五月，布萊恩付了一百英鎊的訂金，買下一台價值六千六百鎊的福特迷你車。他向數家銀行申請帳戶升級和信用卡，說他是「半職業網球選手」，「馬上要去參加法國公開賽的冠軍賽」。他有筆固定利率債券要等到大學畢業才能領回，但他居然提出來九千英鎊，理由是他的父親去世了。他的父親雖然最後身遭不幸，那個時候倒還活得好好的。

布萊恩幫女友買了車，此外也買了很多據說很貴的首飾給她。後來女友發現，都是便宜的仿冒品。不過他確實送過迪奧的T恤、迪奧提包、鮮花……

七月初的時候，布萊恩告訴女友，他花了六萬鎊買了一台賓士SL 350，也花了四十五萬鎊買了公寓，車子就停在那裡。他也要她陪同前往美國，因為他要去參加網球錦標賽。七月二十四號和二十五號，他們訂了好幾趟昂貴的航程，從曼徹斯特到紐約（商務艙）、紐約到邁阿密、邁阿密到舊金山，最後飛回倫敦希斯羅機場。全部用他爸媽的信用卡支付。

殺死雙親的那天晚上，布萊恩把染了血跡的衣物拿到花園裡的木屑爐燒掉。午夜剛過，他叫了一台計程車搭到女友家，還假裝對家裡的人「說再見」。第二天，布萊恩和女友開始奢華的假期。回到家後，他留在女友家，藉口是他的爸媽去西班牙度假了，而他也把鑰匙弄不見了。事實上，他曾回到躺了雙親血跡斑斑屍體的家中取出財物，繼續用他們的名字刷卡。在外人眼中，一切都很正常，看不出他犯下了大錯。

八月十九日，布萊恩的高等會考成績發布了：四個A。他向學校的朋友抱怨，爸媽不「回家」慶祝他的大日子，讓他覺得很失望。

在審判前，五名精神病學專家討論了一番，認為布萊恩是個「很不正常的年輕人」，展現出的癖性確實指出他是心理變態。法官說他是「大騙子，說起謊話非常熟練，不用打草稿，而且善於操控」。然而，由於他一心幻想自己是個富有、成功的「運動員」，診斷他患有自戀性人格疾患似乎更為恰當。當父母拒絕他揮霍的假期計畫時，或許是一股「自戀暴怒」讓他犯下了弒親的罪行，法庭上的成員接受了這個說法。

下一章我們會回頭看布萊恩的案例，了解他極端的行為是遺傳的影響，還是父母教養的方式造成。

拿著單程票被送回俄羅斯的男孩

二〇一〇年三月，來自美國田納西州的托莉．韓森（Torry Hansen）當時三十三歲，單身的她是護士，六個月前她領養了一名七歲的俄羅斯男孩，她把男孩送上飛機，讓他搭十個小時的飛機回到莫斯科，男孩身上帶了托莉寫的信：「盡一切努力扶養這個孩子後，我很抱歉，為了我的家庭、朋友和自身的安全，我決定放棄扶養這個孩子。」男孩獨自到達莫斯科，當地有人收了托莉的兩百美元，從機場接到男孩後，把他送到俄羅斯的教育部。

托莉並未告訴男孩她拒絕扶養他，而是說他要去莫斯科「遠足」。托莉和她的母親南西宣稱，這名叫阿特姆（Artem Saveliev）的小男孩跟「暴力事件」扯上了關係，最後他威脅要把韓森家的房子燒掉，夷為平地。外婆說：「他畫了一張圖，上面是我們的房子被燒光了，他還告訴別人說，要把我們一起燒死在裡面。已經到了我們會擔心自身安危的地步。很可怕。」

托莉的信寫給「收到這封信的人」，裡面補充：「這孩子的性情不穩定。他有暴力傾向，也有嚴重的心理變態問題／行為。俄羅斯孤兒院的工作人員和主任騙了我，還誤導我，沒有誠實告知他的精神狀態和其他問題。」

二〇〇九年九月，托莉到符拉迪沃斯托克的孤兒院花了四天的時間觀察阿特姆，阿特姆六歲的時候進入孤兒院，他的生母有酗酒的問題，不得不把他送走。托莉把他的名字改成賈斯汀·韓森，帶他回美國當自己兒子隆根的兄弟。

關於他的「心理變態問題／行為」，托莉記錄了一長串的問題：打人、尖叫、對她吐口水、威脅要殺死家人。當他得不到想要的東西，比如說玩具或電玩遊戲，通常就會激發出這些事件。

至於阿特姆呢，回到俄羅斯後，他說外婆會對他吼叫，母親不愛他，還會拉他的頭髮把他從地上拖過去。不過，他跟隆根相處得很好。所以，這孩子究竟有沒有心理變態的傾向？

不論是真是假，我的賭注不會放在這個孩子身上。這個案例中的小男孩來自俄羅斯貧窮的地區，年輕的母親有酗酒習慣（母親十九歲時生下他），沒辦法好好照顧他。進入孤兒院前，沒有人照顧，或許也經歷了不少痛苦，他的情緒發展遭到嚴重損害。然後被送進孤兒院，又被送到千里之外，身邊沒有一個認識的人，還要接納全新的文化衝擊（托莉學了幾個俄文字，好跟他對話，但你一定能想像，他每天要過全然美式的生活，跟他的習慣不一樣）。甚至，他還得回應一個新的名字。

吐口水、踢人、咬人、「威脅」要把房子燒掉，當小孩子出現這些行為時，會令旁人很不快，但小孩不一定是心理變態。或許這孩子只是充滿困惑、不斷受挫、覺得很不快樂，才有這樣的行為。

孩子的環境非常重要，也一定要給他們穩定的生活。即使孩子在小時候和青少年時期就得體驗重大的變化，正如之前提過，他們不一定能欣然接納和適應所有的變動。

阿特姆的事件發生前，有三名美國家庭領養的俄羅斯孩童死亡，導致俄羅斯當局中止所有領養申請。當然，慈愛的父母領養成功的案例還要更多，但阿特姆和韓森一家的故事非常可悲，恰好說明了孩子很難完全按著你的期望長大，尤其是期望與現實不符的時候。

結論和勸告

由於心理變態很有可能是許多因素（遺傳、神經生物差異、教養）組合而成的結果，或許，你應該把注意力放在你能控制的因素上：教養孩子的方式。

☆孩子會向身旁的人學習：不用說，絕對不可以讓孩子暴露在生理、情緒或言語凌虐下，即使這些惡意攻擊不是直接針對他們。親眼目睹成人用惡意彼此對待的孩子，長大之後會相信其他人都懷有惡意，他們活在一個「人吃人」的世界裡。

☆絕對不要為你的孩子貼上心理變態的標籤。如果孩子的行為有很多問題，你認定他們的行為已經超越這個年齡和這種環境的孩子應該展現出來的樣子，請向醫生諮詢，得到恰當的評估和支持。

☆小心，詮釋孩子的行為時不要過度消極。別忘了，小孩子粗枝大葉，無法全盤領會他們的頑皮行為對其他人有什麼衝擊。大一點的孩子在經歷重大的生理和情感變動時，尤其在荷爾蒙突增的青少年時期，也有可能鑽牛角尖到令人百思不解的地步。如果一直告訴孩子他們很壞、很任性、很不聽話，他們會聽進心裡，也沒有什麼誘因願意改好。即使當孩子快把你氣炸了，為人父母者仍需要表現和善：在理想的情況下，每一次負面的互動都應該搭配上二十次正面、充滿讚美、親情洋溢的互動。

★在處理頑皮的行為時，做法要前後一致（跟家裡其他成年人也要好好合作）。要管好孩子，你要有自信，堅定而公平，嚴格的威權或軟弱消極都太極端了。

★家裡要有清楚的規則和界限，但要立下規矩，而不是凡事禁止；也就是說，詳細列出孩子「應該」做的事，而不是「絕對不可以」做的事。我們發現，這樣的指引能讓孩子更寬厚。也要鼓勵孩子在立下規矩時提供意見，讓他們了解規矩背後的理由，就更有可能守規矩。

★想辦法讓孩子培養社群意識。有些學校的計畫包含社群志工、照顧動物、學長姐指導學弟妹、角色扮演、鼓勵孩童說出被霸凌的經驗，所以要是發生了「壞事」，他們不至於只會袖手旁觀。就整體而言，這些計畫跟傳統的制度比起來，更能培養孩子的同理心和容忍度，比較不容易產生偏見和成見，甚至讓他們更喜歡上學。[40]你可以和校方討論這些機會，或者自己提供類似的機會。花時間讓孩子認識不同的團體，明白這個世界上不同的種族、年齡、性別和能力，也有機會坦白討論當中的差異。向孩子強調，在做決定時，他們要注意到其他人的需求，也要加以考慮。教導孩子如何談判和妥協，你自己也要表現出和善、有愛心、合作的樣子。

★監控孩子生活中的大小細節，要孩子相信他們在各個方面都是「第一名」，都是一種過度管教，許多父母發覺到過度管教造成的傷害跟疏於管教差不多的時候，都覺得很驚訝。你心目中認為自己是很好的父母、照顧孩子給他們幸福、保障他們未來的成功，卻有可能養出自戀狂。而讓孩子自力更生並不代表父母不好，說不定有時候反而對孩子有益！

☆霍奇基斯（Sandy Hotchkiss）在《自戀狂你想怎樣？》（*Why Is It Always About You?*）中建議父母找出孩子的特殊技能並加以鼓勵，而不是心不在焉地對著一看就知道做不到的人反覆說：「你做得到！」此外，他們應該讓孩子培養出基礎良好、符合實際的自知之明；比方說，如果贏得大型體育競賽讓他們覺得很開心，送他們去參加慈善比賽吧。雖然你可能會覺得自己家的小寶貝比任何其他孩子都好，但還是應該防止他們在群體中占有優越的地位；他們才不會陷在心中狹隘的小宇宙裡。

☆孩子必須被賦予脫離父母影響的空間，也有實驗的自由。死板的保護和期待會妨礙孩子的發展，也有可能養成「負向認同」；對於世人的期望，完全不在他考慮的範圍中。青少年特別需要脫離父母，確定自己能夠獨立：有時候，他們應該表現叛逆，才是健康的樣子。期望青少年遵守一些非常嚴格的規則，很有可能會看到對應的反應，他們的叛逆也有同樣的強度，使盡全力違反所有的規則。此外大家也知道，比較無所謂的青少年覺得，要是打破一項規則就有麻煩，還不如多多犯規——他們的理由是「一不做，二不休」。

第七章

你的父母是不是心理變態？

在童年時期，父母是我們生命中最重要的角色。你對生命的態度，以及你過生活的方式，絕對會受到父母的影響。小時候，爸媽決定你要穿什麼衣服、要吃什麼食物、要上的學校和跟誰一起玩，這些對你都有長遠的影響。很多人在長大成人後感到幸福，會歸功於父母——而其他的感受或許也是父母給我們的。

心理變態的父母或許會疏忽孩子，或許會把孩子看成自己的延伸，對他們施加一般人無法承受的壓力，還要他們表現得很「得體」。

先天還是後天？相關的爭議愈演愈烈，在討論心理變態時更熱烈到了極點。但有一點已經很明顯：即使心理變態一生下來就是心理變態，父母的教養模式仍會在問題以什麼樣的方式表現出來上，具有絕對的影響力。

在外人眼中，克莉絲汀娜是全世界最幸福的女孩。一頭金髮的她還在襁褓期就被好萊塢的大明星領養，之後過著夢幻般的生活：豪宅、奢華的生日派對、名人朋友、衣櫥裡裝滿了適合小公主穿的衣服。但是，實情有點不一樣，就像電影場景不同於真實生活。克莉絲汀娜的母親瓊很容易沒來由地突然大發脾氣，幾年來，類似的事件不斷發生，最後母女兩人幾乎不講話了。

流產七次和離婚後，瓊決定領養小孩。克莉絲汀娜的嬰兒時期平靜無波；而在成長過程中，她開始展現出獨立的意願，麻煩也開始了。四歲的時候，克莉絲汀娜已經上了一年的游泳課，她想要表現給媽媽看。她們橫游過泳池，媽媽讓女兒贏了。然後她們直游過泳池比賽了好幾次，每次媽媽都輕易地打敗女兒。克莉絲汀娜很生氣，但母親卻哈哈大笑：「克莉絲汀娜，我一定會贏。我比你高。我游得比你快。每次都贏也沒問題。」

有一天，因為四歲的克莉絲汀娜把床邊的壁紙摳下來很多小碎塊，瓊為了懲罰她，把她最喜歡的黃色洋裝用剪刀剪爛。然後命令她一整個星期都要穿著，當別人問起她為什麼一身破衣服，她必須回答：「我不喜歡漂亮的東西。」

小時候，克莉絲汀娜很怕突如其來的「夜間突襲」。有一次，她被爆裂聲吵醒。她媽媽在她的衣櫥裡發脾氣，把衣服從衣架上扯下來，扔到房間裡。然後她走到床邊，拉著克莉絲汀娜頭髮把她扯下床，拖到衣櫥前面。她大吼：「不可以用金屬衣架！」猛擊女兒的耳朵，直到她開始耳鳴。又有一次，有潔癖的母親半夜把克莉絲汀娜叫醒，嚷叫狂罵，說她的更衣室地板上留下了肥皂的痕跡；前一天克莉絲汀娜不知道為什麼被處罰，要擦洗母親更衣室的地板。克莉絲汀娜說她看不見皂痕，卻換來母親反手打她一巴掌。瓊抓了一罐去汙粉，砸在女兒頭上，反覆擊打到罐子破掉，裡面的白色粉末濺得到處都是；克莉絲汀娜的頭髮跟嘴巴當然也蓋滿了去汀粉。之後，克莉絲汀娜流著眼淚把房間清乾淨，一夜無眠。

每逢耶誕節和生日，朋友和母親的影迷都會送克莉絲汀娜無數的禮物，但母親會挑一些便宜的東西准她留下。其他的都收起來，重新包裝後送給別的小孩。但收到的每項禮物都要回以手寫的感謝函。克莉絲汀娜得花好幾個小時的時間寫下能討好收件人的信，感謝他們送來那些她無福享受的禮物。要有一個錯字，整封信就得重寫一次。瓊從來不准克莉絲汀娜用鉛筆寫信，一定要用鋼筆。

克莉絲汀娜十歲時，某個星期五，母親問她要不要去上寄宿學校。過兩天到了星期日，母親幫她打包好行李，準備送她去學校。克莉絲汀娜沒有機會跟原來的老師和朋友道別。到了學校，瓊要求老師用最嚴格的態度監督克莉絲汀娜，就跟在家裡一樣。要是品行不端，克莉絲汀娜會接受處罰，不能離開校園，有時候甚至不能在節日時回家。最長的禁足紀錄高達七個月，克莉絲汀娜不能探訪朋友，也見不到母親。

長大後，克莉絲汀娜想跟母親建立良好的關係，她一直相信或許瓊真的很愛她。有一段時間，她們似乎感情很好，一起參加絢爛的集會，雖然瓊酗酒的問題愈來愈嚴重，克莉絲汀娜仍常常去她住的公寓探望她。但當瓊離開人世時，克莉絲汀娜發現自己失去了繼承權；母親的遺囑上沒有她的名字。最後，母親還從墳墓裡賞了她一巴掌。

電影迷應該已經發現了，這個案例研究來自《最親愛的媽咪》（*Mommie Dearest*），克莉絲汀娜．克勞馥（Christina Crawford）寫下這本回憶錄記錄她的童年，而她的母親則是一九四〇年代的知名好萊塢影星瓊克勞馥（Joan Crawford）。這本書後來改編成電影，是票房大賣的邪典作品，由費唐娜薇（Faye Dunaway）飾演那位惡魔般的女明星。電影實際上省略了很多書中提到的凌虐事件。瓊克勞馥另外收養了三個孩子，克莉絲汀娜的兩個妹妹認為這些事件都是她胡說八道，但她的弟弟克里斯多福則支持她的說法。瓊克勞馥的強迫症和酗酒毛病不代表她一定是心理變態，但仍有不少耐人尋味的相似之處。

有種心理變態的父母認為小孩是自身的延伸——也就是說，他們不把孩子當作獨立的個體（自戀狂父母也有這樣的徵兆）。這就是為什麼在女兒展現出「不完美」時，比方說衣櫥裡放了金屬衣架，會讓瓊勃然大怒。母親和孩子的感情看似濃厚，但其實這和孩子真實的性格無關，而是她幻想中的孩子。因此，瓊雖然為孩子精心準備了生日派對，事實上受邀的真正朋友卻寥寥可數（說不定一個也沒有），派對後禮物也立刻被拿走。

心理變態的父母缺乏同理心，會用很機械化的管教方式。感覺孩子就跟洋娃娃一樣；他們無法適應孩子的需要，哭泣或需要換尿布時置之不理，甚至還把小孩當成貨品；比方說瓊和克莉絲汀娜的案例，書裡提到，她承認收養金髮碧眼的嬰兒是為了炒新聞。如果不在娛樂界，心理變態的母親可能會利用孩子去申請更多社會福利。

現代的父母常常會告訴孩子他們有多棒，但這個傾向也有可能落入心理變態，大家聽了都很詫異吧。心理變態的父母可能會為孩子自大的感受打氣——告訴孩子他們太棒了，因為**他們**就是相信孩子有這麼厲害。這些父母會主動阻撓小孩，不讓他們發展出合乎實際的自我概念。這說不定會讓你想到某個每年期末考都不及格的自大青少年，居然相信他將來會拿到優等成績從法律系畢業。

當然，大多數的父母都想給孩子最好的。但你會不會**太**愛小孩了呢？過度關心和保護孩子，就算他不變成心理變態，是否也有可能變成自戀狂？有些父母深愛孩子，但也有些父母把孩子看成理想化自我的延伸，兩者之間的差異很難看出來。麗莎就是一個案例。

心理變態父母的七個徵兆

麗莎懷孕時，她全心期待要當個好媽媽。她買了上面有印花圖案的孕婦長洋裝，每天在公園裡散步，夢想自己會生下活潑可愛的兒子。雖然之前幾乎從沒抱過小嬰兒，懷孕後不久她就開始告訴一起產檢的媽媽要怎麼帶小孩，甚至還打斷老師的話，提出自己的意見。

第一個徵兆

麗莎對胎兒的滿腔熱情看似充滿母愛，但跟寶寶無關——她只有想到自己。她的態度很自大，還沒當媽媽，就開始誇大自己當媽媽的能力。

她的兒子傑克出生了，非常健康，大家都很高興，傑克一天一天長大，每當別人稱讚他的衣服好看，一頭金髮很可愛，麗莎都非常開心。

麗莎一心希望她的兒子是最聰明最棒的小孩，從小她就強迫傑克獨自在房間裡坐好幾個小時，完成她指派的「作業」。老師在麗莎面前稱讚傑克時，麗莎會把他抱起來親吻，說他是她的「小天使」，也感謝老師的細心教導。老師心想，傑克好幸運，有這麼愛他、這麼迷人的母親。

第二個徵兆

麗莎對兒子的「驕傲」其實只是她對自己的炫耀——把傑克當作理想化自我的延伸。此外，麗莎知道在人前如何扮演「愛兒子的母親」；但在家就不一樣了。要注意的是，麗莎很少親吻和擁抱小孩，因為她只懂得展現出膚淺的情感。她展現出的感覺都沒有深度、很戲劇化、稍縱即逝。

傑克是個很乖的小男孩，學得很快。但他從小就被教成這樣。麗莎笑著告訴朋友，傑克拼錯了字，或在學校考試不及格，都會讓她暴跳如雷——但是，她接著說，同樣的錯誤他不會再犯。所以，她很容易發脾氣，或許對孩子不好，但事實上效果卻不錯。其他的母親只會低著頭不發一語。

第三個徵兆

麗莎的脾氣在這麼小的孩子身上或許會留下難以磨滅的影響，但她一點也不後悔。

傑克的穿著很老氣，絲絨外套和及膝長襪，讓他變成學校裡眾人揶揄的目標。不久之後，被送到學校門口，他就開始哭泣。麗莎不理他。老師打電話給麗莎，建議她或許能給傑克穿比較現代一點的服飾，她回答，那些霸凌別人的小孩應該明白有些人就是不一樣。她質問老師，為什麼要管傑克的服裝，應該去教訓那些嘲笑他的小孩。

第四個徵兆

或許麗莎的說法很公平——小霸王應該要改變自己的看法，而不是光要傑克換身衣服，但在校門口丟下哭泣的兒子，讓人覺得麗莎似乎過於麻木不仁，無法配合孩子的情感需求。

傑克八歲的時候，大家發現他需要戴眼鏡。下課後他老覺得頭痛，已經好幾個月了。他只需要在閱讀時戴上眼鏡，但麗莎發覺有機會了。時機不好，傑克才幾個星期大的時候，她就跟傑克的父親分居，他爸爸一直沒送扶養小孩的費用來。麗莎開始為她「看不見」的兒子申請殘障補助。

第五個徵兆

麗莎這裡的反應完全就是心理變態——她發現有個能用小孩賺錢的機會。她真的很會騙人。

過了幾年，傑克發現麗莎雖然很注意他的表現，卻不在乎他的身體健康。她仍會監督考試的結果，鑽研他的成績單，卻常常忘了煮晚餐給他吃。她找到了一份新工作，在倫敦金融城擔任執行長的私人助理，她說她太忙了，也不願意時時刻刻念著自己的兒子。她說，已經十一歲了，應該懂得把披薩放進烤箱吧？

第六個徵兆

除了不知所縱、不可靠的父親，麗莎也非常沒有責任感。或許她得努力工作來付房貸，但她卻不急著照顧她年幼的兒子。

同時，傑克承受的壓力愈來愈大。在學校裡，老師收到麗莎嚴格的指示，確保他每天要用一次下課的時間多讀一點數學。每個星期有兩次午餐時間要去上鋼琴課。放學後，他每個禮拜要踢兩次足球和上兩次游泳課。週末則要做作業、練習寫字和看「如何改進」的DVD。每個禮拜可以看一個小時的電視。傑克的朋友不多，但他的母親已經規畫出輝煌的未來，包括進牛津大學，以及在三十歲前成為外科醫生。然而，去年她覺得他可以當律師，明年說不定她又堅持傑克要成為勘油工程師。不幸的是，到了十六歲，傑克只考了個C，沒辦法通過考試。

不過，現在對母親的夢想，他也深信不疑。

第七個徵兆

麗莎就是徹頭徹尾的「直升機父母」，不管孩子需不需要，一直在孩子背後盤旋，永遠留在伸手可及之處。雖然傑克顯然不怎麼會念書，她仍毫不鬆懈地推動，表示她缺乏符合實際的長遠目標。令人難過的是，這種態度產生了最糟糕的效果——傑克變成了自戀狂。

測驗：用心理變態的方法扶養孩子

❶ 淩晨三點的時候，三歲的女兒醒來了。過去兩個星期來，她每天都在這個時間醒來，哭到你過去

看她為止。你會：

(A) 溫和地向她解釋她不可以哭，幫她蓋好被子。

(B) 不管她。奶瓶裡加的威士忌為什麼沒有效？

(C) 把她帶到你床上。伴侶可以去睡沙發。

❷ 寶寶的尿布該換了。今天已經換了六次。晚上沒怎麼睡，去超級市場的時候小孩一直哭，回家的時候一個購物袋破了，你覺得好累。你會：

(A) 嘆口氣。再嘆幾次。大聲嘆氣。但你知道嘆氣也沒有；你只能咬牙承受。然後寶寶對著你笑，你記起來了，為什麼你願意付出。

(B) 因為臭氣沖天，才想到換尿布。你匆匆換好，把寶寶放回遊戲圍欄，馬上回去看你的電視。

(C) 擁抱這個機會深深吸氣，享受可愛寶貝的天然氣息。你寧可讓她光著屁股亂跑，好讓她完全貼近自然，但伴侶會抱怨地墊上的汙漬。

❸ 晚上在小孩的學校開家長會。你會：

(A) 很期待。正好利用這個機會了解老師對孩子的看法。
(B) 列下一堆問題，帶著煮蛋用的計時器，免得其他家長占用到別人的時間。
(C) 拒絕參加。你才不會助長他們專橫的父權系統。

❹ 十三歲的兒子在學校抽菸被抓到了。你會：
(A) 嚴厲教訓他抽菸有什麼風險，罰他兩個星期不能領零用錢。
(B) 大笑，給他一包香菸和一個打火機。
(C) 啜泣好幾個小時，你的孩子一定會早死。然後帶他去附近醫院的癌症病房，要他在即將死於肺癌的人旁邊坐兩個小時。

❺ 女兒好友的母親打電話來，她發現她女兒想要偷偷跑去參加音樂祭。你女兒也是同謀。你會：
(A) 問她為什麼覺得要隱瞞參加音樂祭這件事。或許你可以跟她協調溝通出解決的辦法。
(B) 把她的臥室門拆下來，她再也沒有祕密可以瞞著你。
(C) 深深感到困惑。你本來就希望要跟女兒一起去音樂祭。你規畫了野餐的內容，也準備了帳篷。難道她不想跟爸媽一起去嗎？

❻ 學校的運動日到了，你要參加家長賽跑。你會：

(A) 事前做好充分的準備，但你知道，穿著牛仔褲跟帆布鞋去，你贏的機會微乎其微。
(B) 穿上運動短褲和跑步釘鞋。
(C) 拒絕參加。你和孩子已經是生命中的冠軍，只是沒有獎盃或頭銜。

❼ 你發現十九歲的女兒已經不是處女了。你會：

(A) 泡一杯茶送去她房間，告訴她如果她願意跟你討論，你很樂意聆聽，但你也明白她可能需要一些隱私。
(B) 告訴她沒有你的許可，她不可以出門。
(C) 邀請她所有的朋友到你家來參加營火派對，好好慶祝一下。

❽ 兒子答應要在晚上十一點回來，卻一夜不歸。早上八點，你聽到他用鑰匙開門，似乎很緊張，你會：

(A) 給他一個擁抱，然後立刻大發脾氣——你快擔心死了。他至少可以打個電話通知你吧？接下來的兩個禮拜他都被禁足了。

(B) 叫他把手機給你。然後你開車來回輾過手機好幾次，把它整個壓爛，然後還給兒子。接下來的一個星期你都不跟他講話。

(C) 有什麼問題嗎？你跟他一起出去了，只是比他早一個小時回來。

❾ 兒子帶新女友回家。他從不帶女孩子回來，這次一定很認真。你會：

(A) 邀請她留下來跟你們全家一起吃晚飯，但你一直問跟她有關的問題，讓兒子有點尷尬。

(B) 要她坐下來，慎重地告訴她，婚前不可以有性行為。然後拷問她的家庭背景、興趣和喜歡吃的食物，跟她說，你也想跟她的家人好好討論一下。

(C) 直接要他們回房間，第二天早上還送一盤早餐進去。

❿ 女兒要結婚了。你會：

(A) 一大早起來掉了幾滴眼淚——你的小寶貝終於要離開家了。但這天你覺得幸福又快樂，在宴會上非常開心。

(B) 拒絕參加。這是無可饒恕的背叛。你留在家裡，喝得爛醉如泥。

(C) 幫他們規畫所有的細節，在郊外辦了一場盛筵，好讓附近鄰居都能參加。

答案：

大多數是A：你很正常，和孩子的關係也很正常健康，甚至感情也不錯。

大多數是B：你絕對是心理變態——控制慾過強、自私自利、卑鄙得不得了。如果你養大的小孩不是心理變態，他們絕對會很怕你，一有機會就想逃走。希望他們能順利逃離。

大多數是C：你什麼都想幫孩子做好，但或許做太多了。你不是心理變態，但不妨退一步看看。

心理變態是天生還是後天養成？

根據無數的研究和調查，有些還對受試者做了腦部掃描，有很強力的跡象指出，心理變態是遺傳性疾病。至少可以說，有種遺傳傾向或許會讓某人在恰當（或者該說不恰當）的環境下發展出全然的心理變態。

因此，父母會刻意養出心理變態嗎？舉例來說，難產和遭到母親排斥有可能導致後來出現犯罪行為。但是，雖然依附問題和心理變態有關，前者卻不太可能是後者的起因。同樣地，心理變態的孩子在家裡也有可能造成情緒障礙。

然而，教養心理變態孩子的方式會影響這些傾向後續發展的方式。暴力的父母會養出暴力的心理變態。受過良好教育、中產階級、懷有抱負的心理變態小孩可能會成為一個非常成功的心理變態成人：玩弄手段的方法很有智慧，令人害怕，但不至於牽扯到暴力。至少那些有暴力行為的人比較容易被逮捕之後關起來。

綁架女兒的媽媽

二〇〇八年，九歲大的小女孩夏儂（Shannon Matthews）不見了，報案的是她媽媽凱倫（Karen Matthews）。前不久才發生馬德琳（Madeleine McCann）在葡萄牙失蹤的事件，媒體立刻展開熱烈的協尋行動，如果提供的訊息能讓警方找回夏儂，有份小報還提供五萬英鎊的報酬。

夏儂家住在英國約克郡的杜斯柏里，當地也展開了大規模的搜尋，動用三百多名警察和群眾。警方找出了八百名嫌犯。二十四天後，夏儂回家了，估計警方的搜查行動花了三百二十萬英鎊。

不過，大家還不能好好鬆一口氣。消息很快走露，夏儂被發現的時候，藏在雙層床墊的下層，而那棟房子則屬於凱倫男友的叔叔。警方也立即發現，凱倫也參與了「綁架」。

後續揭露的內幕更讓人難以判斷凱倫的行為有哪些心理變態的地方，哪些則來自她低於常人的智商（只有七十四）、自尊心和社會經濟地位。她有七個孩子，分屬四個不同的父親——她可能和每個男人在一起兩年後就分開了，不過當前的男友比她小十歲，跟她在一起已經四年了，後來警察發現凱倫男友的電腦上有孩童的色情圖片，因此將他定罪。在她的幾段關係中，都曾出現家庭暴力。

她的父母對媒體發言，說她不適合當母親，尤其是跟現在這個男友在一起以後。就連她的姊姊也說，有一次凱倫丟下了六個月大的孩子：「那男人把購物袋或毛巾貼在寶寶的屁股上。凱倫不肯花錢買尿布，反而拿去買薯片、糖果和汽水。」

凱倫被判刑八年，罪名是綁架、非法拘禁和妨礙司法流程。她不肯認罪，聲稱男友要她頂罪，她很害怕，只好答應他。

坐牢一年後，一份小報訪問凱倫，問她最想念自由生活的哪些東西。她說：「性愛、購物、到鄰居家喝咖啡。」對七個孩子則隻字未提。

我們對凱倫．馬修斯來自報紙和電視報導的認識大多符合心理變態行為的特質：孩子受苦卻不處理、利用孩子得到金援、持續說謊，還有在懇求綁匪放回女兒時表現出虛假的情緒。

造成媒體風暴的父母

二〇〇九年十月十五日，坐在電視機前的美國人都嚇呆了，一座自製的熱氣球飛走了，在空中飛了八十公里，裡面據說坐了一個六歲大的男孩。但幾個小時候，那名叫做法康（Falcon Heene）的男孩被人發現藏在家中閣樓的紙箱裡。

法康的父親李察．黑內和妻子真弓（Richard and Mayumi Heene）上過兩次美國廣播公司的實境節目《換妻》（*Wife Swap*），酷愛追風（譯按：在天氣出現劇烈變化時出外觀測或拍照）。他們造了這座熱氣球當成氣象設備，熱氣球不小心就飛起來了，最高飛到海拔兩千多公尺，當時他們以為法康躲在密艙裡。新聞頻道報導了熱氣球在美國科羅拉多州科林斯堡的飛行路徑，軍用直升機出動，丹佛國際機場也短暫關閉。熱氣球終於降落在田野中，裡面卻沒有小男孩，大家擔心他掉出去了，在飛行路徑上瘋狂搜尋他的下落。但才過了幾個小時，有人發現法康在家裡，平安無事。他說他在家玩玩具，也小睡了一下。

但是，大家很快就開始懷疑這整件事只是一場惡作劇——那對愛追風的父母搞出了高明的花招，但這次不是追逐自然風暴，而是媒體風暴。事後在CNN的《賴瑞金現場》（*Larry King Live*）接受訪問時，法康說他聽到別人叫他的名字（搜查人員事實上搜了他們家兩次，但沒找到他）。他父親說：「你為什麼不出來？」兒子回答：「你們兩個說，嗯，為了上電視我得躲起來。」父親問兒子這話什麼意思，然後發怒了；他說他不知道兒子想說什麼。不過他也沒要求兒子繼續說明。

三天後，當地的警長宣布這對父母將被判以重刑。二〇〇九年十一月十三日，李察認罪，罪名是妨礙公務。然後他被判坐牢九十天，妻子則被判二十天。然後他們還得付出三萬六千美元的賠償金和罰金。

布萊恩．布萊克威爾的父母：愛孩子的正常父母，還是怪獸的創造者？

在前一章我們看過了布萊恩的案例，這名年輕人被控殺害父母。看似很成功、會打網球、學校成績也很優秀，似乎沒什麼理由要用那種殘酷的方法對付自己的父親和母親。醫生認為布萊恩有自戀性人格疾患（很接近心理變態），才會做出這些行為。但父母的養育方式有沒有可能才是起因？

我跟布萊恩談過幾次（他同意公開發表談話內容），我發現他接受的養育有些令人吃驚的細節。當然，我們也不該忘了，他會改編自己的故事，為自己減輕殺人的責任，讓父母承擔罪責，所以要謹慎審視他的陳述。

首先，布萊恩的母親盡一切所能，讓他停留在幼稚的狀態（或許造成揠苗助長，導致他留在心理變態的學步兒階段）。他說，母親堅持幫他洗澡和穿衣服，直到被殺的那一天（他已經十八歲了），甚至在他不乖的時候，會把他丟到裝了冷水的浴缸裡。他也說，母親不准他剪頭髮；她喜歡他天生的捲髮，一定要自己修剪。十六歲的時候，朋友說服他去剪頭髮。後來他告訴朋友，爸媽快氣瘋了：他們說要向學校投訴，一整個星期都不准他上飯桌吃飯。

在交朋友這方面，母親似乎也有過度的控制欲：小時候他不能交朋友，也不能跟隔壁鄰居的小孩一起玩，母親叫他們「吉普賽人」，因為他們在家養馬，有七個小孩。進入青少年時期後，他很少有機會出門社交；難得有機會，也得在晚上九點半前回到家。布萊恩告訴一起打網球的同伴，有一次他在外徹夜不歸，回到家時，母親說：「你害死了你爸爸。」原來那天晚上他心臟病發作了。

母子之間的肉體聯繫似乎也太緊密了些，從一個地方可以看出來。布萊恩說，從十二歲開始，晚上他就跟母親一起睡，因為他爸爸不在家，而媽媽「喜歡親密的感覺」。

至於學校生活，父母也時刻介入。開家長會的時候，他媽媽會詳細記錄，甚至拿出布萊恩之前的成績單來比較。據說其他的家長都很惱怒，原本一人只分配到跟一個老師十分鐘，她卻占用四十分鐘。父母幫布萊恩選定了高等會考的科目，在被殺害的那天，布萊恩的父親還打電話給大學入學委員會，改變布萊恩選擇的大學。

父親在其他地方也展現出同樣的控制欲——布萊恩說父親會用手槍恐嚇他，有一次還在他耳邊開槍，損害他的聽力（十歲的時候，布萊恩因為聽力可能受損，去看了家庭醫生）。父親每天都會量布萊恩的身高——在他殺死父母那天，布萊恩的身高是一百八十公分。我們也注意到，布萊恩的父親很重視他的網球技能；表現得不夠好，會遭到父親責罵；也有人看過他在球場邊皺眉、做鬼臉和打手勢。

布萊恩本身展現出心理變態的核心特質，但顯然他跟父母的關係也不正常。如果你想從布萊克威爾的案例中找到答案是先天還是後天，很難得到黑白分明的解答，但確實能看出生理和環境因素互動時會造成毀滅性的結果。

心理變態是一種繁殖策略？

演化心理學家認為，心理變態是一種行得通的繁殖策略。哈利斯（G. T. Harris）和萊斯（M. E. Rice）指出，尋求刺激和暴力傾向等心理變態特質在史前時代都能在異性心中留下深刻的印象，或許，大自然就用這種方式確保人類的繁衍。[41]

心理變態通常很淫亂，不懂得忠誠；根據海爾的觀察，很有可能這會讓男性和女性的心理變態生下很多小孩，不過他們不太可能好好照顧下一代（如果用心照顧，他們反而會過度干涉孩子的生活）。[42]海爾說：「心理變態到處移動的遊牧民族生活方式……或許可視為他們持續需要全新的繁殖場所。」[43]

反對的論點指出，心理變態喜歡冒險的特質就不符合繁殖策略：如果你愛拿命開玩笑，像心理變態一樣追求冒險（嗑藥、開快車等等），就不容易把自己的基因延續下去。

結論和勸告

父母親是小孩生命中最具影響力的角色，心理變態的父母搶得了獨特的地位，能夠在無力抗拒、不懂得反抗的受害人身上實現最惡毒的願望。

第一種心理變態的父母會把孩子看成自己的延伸，施加強大的壓力，讓他們的行為表現絕對要遵守嚴格的規範。當孩子確立自己的人格後，挑戰父母權威，或許會給自己帶來可怕的懲罰，這時候問題就真的開始了。

第二種心理變態的父母認為小孩是剝削的對象：利用孩子申請福利，或甚至假裝孩子有病，好得到更多人的同情和善心捐贈。

這兩種心理變態的父母照顧孩子時都不會花心思：他們對孩子不會展現出親熱的行為（通

常只會在公開場合表演擁抱）。他們缺乏責任感，表示孩子的基本需求長期下來無人看管。

在暴力下成長的孩子，不論父母是不是心理變態，都很有可能發展出侵略性格。罪犯家族的影響會促使孩子走上同樣的道路（見第六章「你的孩子是不是心理變態？」）。

家有心理變態的父母，小孩當然沒辦法自助。我們只能希望他們有其他親戚、學校老師或社會服務機構來照管。但孩子長大了，就能拉自己一把。如果你認為你的父親或母親是心理變態，盡己所能好好保護自己。不要被他們的情緒勒索矇騙。如果要見面，約在公開場合：萬一你覺得不需要繼續浪費時間，比較容易離開。如果你有兄弟姊妹，跟他們討論你的想法：或許他們的反應跟你一樣，你們可以聯合起來彼此支持。

別忘了，虐待你的人應該要從你的生命中消失，即使是你的父母也一樣。不要覺得你有責任要給他們錢，或讓他們住在你家。如果你現在有了自己的家庭，要把你的家人擺在第一位。

好消息是，心理變態的父母不太可能一直留在你身邊。他們對自己的小孩一下子就失去了興趣；尤其是當孩子無法達成他們的期待，變成他們的複製版來實現所有的願望。如果你已經長大，對他們來說又沒有用處，他們應該會拋下你不管。揮手道別，把你的感情和幸福投注在值得的人身上。

第八章

你的伴侶是不是心理變態？

如果你的伴侶是心理變態，很有可能你根本不知道。或許看似難以相信——你應該對最親近的人瞭若指掌吧？但是愛會讓人盲目。不知從何而來的帳單、神秘的電話——要找到解釋的理由並不難。

更重要的是，心理變態的伴侶即使會反覆傷害你，也會讓你沒辦法離開他。心理變態的伴侶善於扮成很愛你的樣子，再穿插控制你的手段；他們的模式是獎賞、懲罰和威脅，逼得伴侶不得不屈從，失去了必要的自尊和逃離的意願。

一旦心理變態榨乾了伴侶的好處，就會拋棄伴侶。對受害人來說，只能暫時鬆一口氣。心理變態的伴侶會再度出現，每次都保證要改，卻從來不實踐諾言。

湯姆讓我的世界整個倒轉過來，所以我很愛他。那時候我單身，在牙醫診所擔任助手，既無聊又沮喪，而且我才二十七歲。我覺得再過一兩年我就要放棄了，買一雙好走的鞋子，獨自步入中年。

湯姆一進來我就注意到他。他有一口完美的雪白牙齒，過了不久，他就私底下要求，在他每個月來洗牙的時候都由我幫他清潔。他總利用這個時間問我好不好，而且會很專心聆聽，他來過幾次後，我就告訴他十九歲那年我的父母死於車禍；我喜歡黑白電影、壽司和我的愛貓蘇茲。而他則會告訴我自從上次見面後他做了什麼事，聽得我嘖嘖稱奇。看來他是很成功的生意人，雖然我一直不明白他從事什麼樣的生意。我猜，金融城裡的某個職位吧。他也很會逗我笑。有一次，他說他訂了一千顆金莎巧克力送到派對上，當晚的主客是英國大使。

不久之後，他就常找藉口來診所，比方說要拿一本他上次提過的書給我，或者出差時幫我買的小玩意。一開始我裝著若無其事，不會接納他的追求，但心中當然小鹿亂撞。從來沒有一個人對我這麼奉承。

第一次約會的時候，他開著閃亮的紅色保時捷來接我，帶我到一家很時髦的餐廳吃晚飯；後來我才發現，他用三寸不爛之舌說服附近的經銷商把車子借他「試駕」。如果你不是名人，三個月前就要想辦法在這家餐廳訂位子。老實說，坐在餐廳裡的時候，我一直覺得我馬上要昏倒了。但是湯姆很溫柔，他用手臂環著我，幫我點餐和叫酒。晚餐的時候，他告訴我，他從沒碰過像我這麼可愛的女孩，而且他一直撫摸我的頭髮。瞧，那是我的優點，我長得還不錯，開心的時候可說得上漂亮，我有一頭如絲的金色長髮，但在工作時，我會將頭髮緊緊扭成一個髻。有一次湯姆來診所時碰巧看到，我正把頭髮放下來重綁，以為沒人看到。他說，那時他馬上被迷住了。

他送我回家，在門前吻了我。他說似乎太急了一點，但是他的感覺很強烈。我不想讓他走，但他說會再打電話給我，不久之後他就能再度擁我入懷。

結果，過了兩個星期還沒接到他的電話，我幾乎要瘋了。但他的道歉也很獨特，說他突然要緊急去紐約出差一趟，沒有時間打電話。再見到他的時候，我就放心了，沒再質問他任何問題。

過了不到一個月，他就搬進我家。我覺得他的東西很少，幾件衣服、幾本書和各式各樣的浴室用品。他解釋，他常常要出差住在飯店裡，所以他很少買東西。不知道為什麼，我從沒想過要問他原本住在哪裡。

才過了六個月我們就結婚了，那是我這輩子最開心的一天。婚禮上就只有我們兩個。他說他覺得這樣比較好——這是我們兩個人的事，而且我阿姨是個掃把星。沒錯：上次請她來吃晚飯跟湯姆見面的時候，她問了太多問題，讓湯姆很惱怒，但她就是不肯鬆懈下來接納他的魅力。

婚後的幾個月，一切都很完美。他依舊常常出差，但是我能理解，而且他一定會買一兩樣小禮物給我。過了一段時間後，確實有些小地方看起來不對勁。比方說他有兩支手機，但我只知道其中一支的號碼。他說他必須隨時開機，免得重要的生意突然上門。不過他一定會把手機放在口袋裡或床邊，絕對不隨手亂放。

他也沒提過要給我家用。不過我不覺得我該問——他住進來以後，跟我一個人的花費比起來並沒增加多少。我繼承了父母的遺產，手頭還算寬裕；也不需要付房貸。不過，當他在家的時候我總會給他特別的款待——他可沒有要求我準備龍蝦或魚子醬。

當然，那台保時捷再也沒出現過。他解釋，反正車子大多數時間都停在機場裡，他應該換一台比較樸素的車子。所以他就開我的車。沒關係。我上班只要轉兩趟公車，而且超級市場走路就到。我也不常去拜訪朋友。此外，我一心要跟湯姆在一起，沒時間想到其他人。

我花很多時間清理房子。他喜歡家裡一塵不染，如果床沒鋪好，或者壁爐台上有灰塵，他會氣上好幾個小時。有一次他發現浴缸排水口卡了頭髮，他說要是再看到一次，他要把我心愛的貓咪蘇茲從窗口丟出去，那次我真的嚇壞了。為了表示他不是開玩笑，說話的時候他抓住蘇茲的頸背，把她晃來晃去。我不知道他什麼時候會回家，所以冰箱一定要裝得滿滿的，有好吃的東西可以煮成晚餐。有一次他突然回來，我只有烤豆跟吐司可以給他吃。我一直道歉，但他很生氣，把盤子摔到牆上，怒氣沖沖地離家，從此不見人影。過了兩個星期我才跟他聯絡上。我真不希望慘劇重演。

我知道，聽起來很瘋狂，我居然沒離開他。但是我真的很愛他，他就是我的全世界。而且他不發脾氣的時候，他……太棒了。很愛我，很為我著想。

不過奇怪的事情還是一直出現。他一定胸有成竹，解答也很合理，但我發現他不在的時候，晚上我輾轉難眠，擔心得不得了。皮包裡的現金不見了，我告訴他我找不到錢在哪裡，他說我腦袋空空，自己花掉了也不知道。或者他說，有人來敲門，為慈善機構募款，他不想讓他們空手離開。沒有人寄信給湯姆（他說他的信都送到辦公室），但有一次在他西裝口袋裡發現了信用卡帳單，我嚇了一跳。金額是好幾千英鎊，而且他的住址是住宅區，但不是我們家。他只說，那是另一個生意上用的帳戶。

有一天他走到我身邊，跟我說他受夠了，不想再去上班。他有新的想法，這個計畫很不錯，他不需要常常出差，我們可以有更多時間在一起，或者還能考慮生小孩。他只需要一筆錢來創業，大概二十五萬英鎊。我問能不能從銀行貸款，他說不行，銀行會管頭管腳。他的想法太先進了，銀行的人或許根本聽不懂。我們為何不把房子賣掉，用利潤來投資呢？我們可以住在小一點的地方，而且只是住一陣子，新的生意起來後，我們會變得很有錢。

大家一定覺得我很傻。可是他是我的丈夫——我要他快樂，而且能有更多時間在一起，讓我覺得很興奮。我也相信他——他的生意看起來很成功，雖然我一直不知道他在做什麼。不論如何，我覺得很感恩，能有這個機會來幫助他——我覺得這是第一次他需要我的幫忙，感覺真的很不錯。

我給他支票，兌現後過了一個星期左右的時間，他去出差，然後再也沒回來。頭兩個星期，我告訴自己不要擔心——有可能他有事情要忙。但後來我開始害怕了：他不接電話。我發現我們沒有共同的朋友；我甚至不知道他有哪個親戚可以問。最後，我向警察報案，幾個星期後他們回我消息：他的名字是假的。他真正的名字是保羅，因為盜用信用卡而被通緝，現在我報案了，他還多了一條重婚的罪名。他有另一個妻子，住在離我家四十公里遠的地方，還有一個七歲的兒子。

湯姆現在在牢裡，或者該稱他保羅吧。有時候他會寫信給我，說他很寂寞——他說，他曾讓我非常幸福，現在卻一無所有，我應該要同情他。有時候，我想過要回信給他。

珍妮佛，三十六歲，前妻

你的伴侶是心理變態嗎？很難判斷。如果你知道，當然是最好。但他不會在脖子上掛個鈴鐺，警告你說他要過來了（這裡我們指心理問題，而不是生理上的凌虐——不論伴侶的心理狀態為何，如果你是家暴受害者，一定要尋求協助）。讀了珍妮佛的故事，你或許覺得看到了不少線索（稍後我們就來看看這些線索），或許你也覺得她很傻，居然會留在他身邊。但愛情是盲目的，不是嗎？他忘了打電話、口袋裡有奇怪的帳單、說的話牛頭不對馬嘴，有多少人會原諒他？珍妮佛看到有幾塊拼圖似乎兜不起來，但她為這個男人癡迷，正如她說，湯姆向來很愛她，很為她著想。

令人大惑不解的是，心理變態能用充滿愛意的行為，**表現**得無懈可擊，來欺瞞受害者。如果他們夠聰明，他們會學到正確的社交行為在大多數情況下能夠愚弄大多數的人。當自己的本質昭然若揭，心理變態會想辦法轉移你的注意力，告訴你他愛你。當然，他**感覺**不到愛。

再來看看珍妮佛和湯姆的例子，找出有哪些線索可以讓她提高警覺。

我們知道湯姆是心理變態，對他的受害者也展現出常見的「評估－操控－拋棄」（簡稱A－M－A）過程。A－M－A是心理學家觀察到的模式，心理變態的人際關係就以這三個階段為基礎；心理變態跟同事之間的關係也遵循這個過程，但在私人生活中也一樣有效。

首先，湯姆評估珍妮佛，看看她是否能當一個好太太——也就是說，很容易服從命令。對某些心理變態來說，這個階段有可能是幾乎無意識的「估量」，而在其他心理變態身上則更為明顯。我有一名委託人會頻繁接觸支援團體，好提高機會，更容易找到軟弱的女性。湯姆還沒有那麼過分，而且他很幸運，不久之後就找到「有潛力」的女孩；珍妮佛一下子就承認她很寂寞、沒有家人看顧她、工作很無聊、財力豐厚。弱點很多，錢也很多：太完美了。

接下來，湯姆要讓珍妮佛準備好，接納他獨一無二的伴侶關係。心理變態可能會對伴侶很溫柔，但如果伴侶的行為不如所願，就得面對威脅和處罰，反反覆覆讓一般人難以面對，在這樣的過程中，打造出順從的伴侶。第一個階段通常會浪漫到讓人欣喜若狂——保時捷、浪漫的晚餐、激情的告白。

心理變態通常會模仿言情小說的求愛風格——巧克力、鮮花、情詩。我有一個委託人會常常光顧卡片店，記熟情人卡上纏綿的詞句，然後用在女朋友身上。一開始或許會很吃驚，但這招確實令人難以抗拒，尤其是當你很少碰到別人如此大獻殷勤的時候。

有個委託人告訴我下面的故事，正好讓我們了解他們的腦袋如何運作：「我會稱她是女性朋友，而不是女朋友。女朋友這個詞代表我對她有感覺，可是我從來沒有這種感覺。我喜歡她——但愛是什麼？我很開心，她會跟我上床、幫我做事情、陪我消磨時間。那是愛嗎？我對她的感覺跟對我的狗差不多。」

再看看另一名委託人的說法：「我買花送她，告訴她我全心全意愛著她。我不太明白那是什麼意思，但我知道她聽了臉上就浮現了微笑，也讓我能對她予取予求。鮮花的價錢比自己付房租便宜多了。」

在準備過程的第二個階段，如果伴侶不懂得感激，心理變態會發怒，威脅要拋棄伴侶。珍妮佛發現要是她不把房子徹底清理乾淨，或給湯姆準備一頓好吃的晚餐，就會換來怒氣。

接下來，輕微的惡行開始出現了，心理變態測試伴侶的界限，看能欺壓對方到什麼程度。在珍妮佛和湯姆的案例中，我們看到他離家後不打電話，或從珍妮佛的皮包拿錢。正如湯姆告訴珍妮佛她「腦袋空空」，心理變態會讓伴侶發出抱怨時覺得自己不講理，小題大作。他們會讓伴侶覺得自己的地位比較低。每次吵架的時候，受害者不知為何自己反而變成道歉的一方。

然後不合理的行為會逐漸擴大，偶爾又來一次浪漫攻勢。珍妮佛很困擾，因為湯姆從外表看來「很愛她也很浪漫」。這種訓練模式會讓受害者被心理變態玩弄於股掌之間。

在最糟糕的情況下，心理變態會用殘暴的行為對待受害者在意的人事物，典型的例子就是寵物或小孩，讓受害者只得吞下合理的抱怨。珍妮佛沒把浴缸清理乾淨，湯姆就把她心愛的貓咪抓著在窗外盪來盪去。他也想辦法孤立珍妮佛，不邀請阿姨或其他朋友來參加婚禮，讓她得不到外援，也沒有人可以站出來質疑他。過了一段時間她幾乎跟別人都斷絕了往來，她的生活就繞著湯姆轉。

最後，湯姆把珍妮佛榨乾了——新的住所、她的車子、隨時可以做愛、美味的晚餐、二十五萬英鎊——便拋棄了她。

但是，雖然他被捕入獄，仍想辦法回來——寫信給珍妮佛，要跟她復合。在臨床診斷中我常看到這樣的案例，心理變態無法感受到他們對別人的生活造成什麼樣的衝擊，覺得他們有權要求和解。心理變態伴侶最危險且會造成最嚴重傷害的地方，就是他們最後會嘗試回到你身邊，就像堵住的排水口，仍不斷發出臭味。

心理變態伴侶的七個徵兆

用A—M—A模式來評估某人的伴侶是不是心理變態，是一個很好的方法——但不是確鑿的結果。我們先來看看心理變態的核心特質如何頻繁展現在他們的人際關係中。

二十七歲的邁可是英國密德蘭地區冠軍聯賽的足球員。他跟潼恩結婚八年了，有兩個兒子——球隊經理建議他愈早成家愈好。他戴著勞力士手錶，有兩台拉風的車子，還給老婆買了一隻西施犬當寵物。潼恩外表亮麗，而且也很注重保養，她可不傻：外面有很多女人對她老公有意思呢。

這點邁可也知道，頗引以為豪。曾有一兩個超級聯賽的足球俱樂部打他的主意，他也盡力表現，達成一開始轉成專業運動員時許下的承諾。但大多數時候他都不敢相信自己有多幸運；對別人吹噓自己的收入、車子、給孩子他自己從未享有的機會，他快樂得不得了。

有天晚上他去了「乾杯」，一家在柴郡的豔舞酒吧，慶祝他進球打敗了博頓隊。有個舞女名叫克莉絲朵，對他特別注意。克莉絲朵跟其他舞女一樣，是個驕傲的人工美女：一整排雪白發亮的牙齒、接近橘色的仿曬肌膚、高挺聳立的胸脯跟馬鬃一樣的漂亮接髮。邁可很習慣別人對他特別注目，但克莉絲朵似乎不一樣——比方說，她懂得聽他講話。

過了不久，邁可一個星期會去「乾杯」兩三次，每次都點克莉絲朵的檯。邁可知道或許他發傻了，但克莉絲朵總讓他很開心，而且她似乎有些難以捉摸，更讓邁可著迷。雖然克莉絲朵對他另眼看待，但會讓他看到她去別的客人前面跳舞，搞得邁可心癢癢。

第一個徵兆

克莉絲朵真的需要工作，而且她跟大多數跳豔舞的同伴不一樣，覺得工作除了帶來進帳，也能滿足私人的欲望。跟大多數心理變態一樣，她對性行為的態度很隨便，也想利用性來控制其他人。色情、賣淫或幫別人拉皮條，在心理變態間都很常見。克莉絲朵還沒到這地步，但她已經準備好滿不在乎地展示她的性感，激起邁可的嫉妒，讓他聽命於自己。

不到幾個星期，邁可就完全受制於克莉絲朵，她要他往東，他不敢往西。有天她神情激動地告訴邁可，如果她付不出房租，房東威脅要把她趕出去——他就幫她付了（補了前三個月，預付後三個月）。邁可每次見到克莉絲朵，也給她大把鈔票，希望她少去跳舞。每次經過首飾店或名牌服飾店，櫥窗裡一定有克莉絲朵看上眼的東西，邁可也會付錢買下。事後在床上，邁可也會享受克莉絲朵表達感謝的方法。

第二個徵兆

克莉絲朵一有機會就向邁可需索，是典型心理變態的行為。無可否認的是在這個階段，很難分辨克莉絲朵和淘金女郎有什麼不一樣。耐人尋味的是，心理變態不一定會選擇軟弱的人，他們也喜歡有身分的伴侶，利用關係享受好處。

但克莉絲朵的態度很快就出現了轉變。她的行為一開始改變時，嚇到了親眼目睹的邁可：他忘記先幫她開車門，突然之間就被罵得狗血淋頭，嚇得他渾身顫抖。之後，不合理的行為頻頻出現，克莉絲朵隨時會打電話到他家，如果邁可接電話，她就大吵大嚷，如果潼恩接電話，她就立刻掛掉（潼恩不是傻瓜——她知道發生了什麼事，但她很怕失去豪宅女主人的身分，不敢找邁可對質）。上星期克莉絲朵發現邁可帶潼恩去高級餐廳吃晚餐（搜邁可皮夾時發現了收據），她在凌晨三點開車到他家，把前院裡的花盆全部打爛；然後敲碎了邁克的車頭燈。

第三個徵兆

克莉絲朵無法控制自己的行為。雖然她想騙邁可上鉤，好讓她為所欲為，但如果有什麼東西不如意，她很容易大發雷霆，非常挫折，暴露出心理變態的性格。

不論做什麼都不夠。邁可已經深深為克莉絲朵著迷，看不到她在耍手段。但是他的行為只換來冷酷的對待。在性愛後，克莉絲朵從來不願依偎在一起，看到邁可靠過來，她就轉過頭，讓他的唇碰到自己的臉頰，還嘲弄他在床上「很遜」。她甚至還用手機拍下兩人做愛的影片，威脅要拿給他妻子看（有一次克莉絲朵把檔案給朋友看，兩人笑不可抑，這時邁可正好走進來撞見了）。儘管如此，克莉絲朵依然告訴邁可，她想要更進一步，跟他同居；她從早到晚都在嘮叨，要邁可提出離婚申請，離開潼恩，他們才能舉行她夢想中的盛大白色婚禮。

第四個徵兆

克莉絲朵想跟邁可結婚，倒很令人驚訝，尤其是她一直對他很冷酷很殘暴。心理變態不想做出承諾，但他們確實知道跟伴侶同居可以帶來金錢和其他的好處。還不到三十歲，典型的心理變態就有至少三次婚姻或同居的關係，不過皆以分手收場。

最後，邁可崩潰了：他受夠了。他告訴克莉絲朵他想要冷靜一下。他把克莉絲朵的電話從他的手機通訊錄刪掉，帶著潼恩住進五星級的鄉村別墅飯店度幾天假。

但他沒想到克莉絲朵氣炸了。每隔十五分鐘，她就打一次電話，連續二十四個小時不停。他堅持不回應，因此她把一個包裝精美的禮盒放在他家門口，裡面裝了狗屎。最後，她一直傳簡訊給邁可，說沒有他就活不下去。邁可投降了。原本計畫跟妻子浪漫共度週末，卻變成告訴潼恩他們要分手。回到城裡，他打電話給克莉絲朵，他脫離婚姻束縛了，完全屬於她。克莉絲朵說：「真是好消息啊——等等，我得出門了，再打給你。」然後她消失了兩個星期。等她再度出現，邁可激動地問她去了哪裡，她只說：「就不在啊。」克莉絲朵告訴邁可，他太愛小題大作了。她問：「現在可以出去吃晚餐了嗎？」結案。

第五個徵兆

歇斯底里、沒有理由的失蹤、最後通牒——這一切混亂都是心理變態伴侶關係的經典信號，獎勵和處罰交替出現，好讓受害者無法自拔。正因如此，很多人脫離不了這樣的關係。

離開潼恩後，邁可急於跟克莉絲朵建立正常的關係。他提議要見她的家人，他可以請她父母吃午飯。但他注意到，克莉絲朵說到親戚時總含糊其詞——他不確定她有沒有提過她父母到底住在哪裡。每次邁可問起過去的事，她會迴避答案，說「沒什麼好提的」或叫他別多管閒事。回頭想想，邁可發覺克莉絲朵最要好的朋友每個星期換一次，她跟俱樂部其他的舞女一定會吵架，當他建議幫她開個生日派對時，她會立刻轉變話題。他不知道她**有沒有**朋友。

第六個徵兆

提到朋友和家人時，邁可應該要小心克莉絲朵的含糊其詞。身為某人的「另一半」，你應該要對他們有所了解，或有共同的體驗。心理變態跟家人朋友的關係通常都很緊張，或者根本不存在，令人難以理解。如果心理變態的伴侶一直不邀你跟他的母親、阿姨、最要好的朋友喝下午茶，很有可能他之前謊話連篇，現在連圓謊都不在乎，或者他早就跟親戚沒有來往了。

而邁可當然不知道，像他這樣的男人，克莉絲朵還拖了三個。他們都要負責幫她付房租，買衣服和首飾。

還好邁可夠幸運，在緊要關頭跟克莉絲朵切斷了關係。他原本的期待不一樣：對他來說，他們本來要住在一起了。但有天晚上克莉絲朵在豔舞俱樂部碰到了一名超級聯賽的足球員，覺得他比邁可和其他人加起來都強。邁可一無所知，他買了一棟公寓，準備要跟克莉絲朵同居，那天他才剛拿了鑰匙，卻孤獨一人呆在新公寓裡。克莉絲朵還堅持要開聯名帳戶，表示他們結為一體，結果呢？錢都被提光了。

第七個徵兆

玩手段、詐欺、謊言、表面的情感、寄生行為和淫亂性愛還不夠，邁可發現克莉絲朵拍拍屁股就走，甚至不回頭看一眼。或許克莉絲朵跟邁可在一起會過得很享受，但一看到更好的詐騙對象就拋下他，因為她無法控制自己。然而，就算她跑了，邁可還是要小心。很有可能在他想辦法恢復過去的生活時，這女人又回來了。

你會受到心理變態吸引嗎？

看看下面三種情況——你是否看到了自己的處境？

A型：你的男朋友有天凌晨四點才回來，你瞄到他脖子上有個吻痕。你知道他跟哥兒們出去玩了，顯然玩得有點過火：算了，喝醉的男人很容易變成女人的獵物。你起床幫他煎了個蛋捲，讓他睡飽了好消除宿醉。

全都計畫好了，伴侶卻突然告訴你他下個月不能去參加你妹妹的婚禮；他參加了花式撞球巡迴賽，決賽剛好撞期了，他認為他一定會贏。你懂他的抉擇，也幫他跟你的家人解釋。至少，你還可以期待一起去度個小假。但在出發日的前一天，他打電話告訴你，公司突然有急事，他沒辦法走開。同樣的事情發生第三次了，而且他也不是什麼高階主管——他是個房屋仲介。你放下電話大哭一場，然後準備好晚餐。這不是他的錯，至少你可以留在家裡整理雜務。

幾個星期後，你把車子借給伴侶，讓他跟朋友一起去釣魚，但他回來的時候，車子的油箱空了，丟滿了啤酒罐和發臭的魚餌。車後還出現了新的凹痕。但他沒道歉，也沒解釋發生了什麼事。你想，他一定在找機會道歉，會買份大禮給你，為了不破壞驚喜，你把釣回來的魚煮成晚餐，把車子送到修理廠。

伴侶的生日要到了，你存了一整年的錢，要送給他他真的很想要的禮物——一台摩托車。你還從附近的蛋糕店訂了生日蛋糕。要有機會的話，你很想辦個驚喜派對，但你不認識他的朋友，他也不喜歡你的朋友。

伴侶出差一個星期，音訊全失，只有從機場回家時打了個電話。看起來他很忙，一定也累壞了——你在浴缸裡放滿熱水，準備好晚餐，等他到家。

接下來的一個禮拜，你必須獨自探訪父母。你要男友記得幫你餵貓。但你回來的時候，發現被你留在後院小屋的貓咪還在原地，咪嗚著發出哭泣聲，你準備的那碗貓食早就吃光了。男友說，他突然開始過敏，沒辦法靠近你的寵物。你很難過，卻決定要幫心愛的貓咪找個新家。

姨媽過世後留給你一筆豐厚的遺產，不久伴侶就開口跟你借一萬英鎊（差不多就是你繼承的數目）。你說你寧可把錢給他，不需要用借的；反正省得麻煩，你的就是他的。

一天晚上，你正準備出門參加派對，男友說他不喜歡你穿的洋裝，太暴露了。你嘆了一口氣，但知道吵架也沒用，只好換下洋裝，穿上平常的毛衣和牛仔褲。

B型：如果男友清晨四點才回來，還帶著吻痕，他才不准上床跟你一起睡。你要他去睡沙發，第二天早上你要好好訓他一頓。

他說他不能參加你妹妹的婚禮，你告訴他你可以接受。你知道他比較重視那些東西，顯然你不在他重視的範圍內。你說，你正在慎重考慮要為了這件事跟他分手。

又在最後一分鐘取消了短期休假後，你決定你還是要去，但是會跟你最要好的朋友去。

男友釣魚回來，看到車子的慘狀，你立刻要男友拿著水桶跟海綿去洗車。你告訴他，修理的費用要他負責，也把他的名字從汽車保險中拿掉。

他的生日到了，你幫他烤了個巧克力蛋糕。這時你並不覺得想在他身上花大錢。

出差時一通電話也沒打的男友回到家，發現你不在。

發現貓咪受到忽視，你建議男友去看醫生，把過敏症治好……這幾天也不用回家了。

男友說要跟你借一萬英鎊，你說，你要知道他有什麼用途，而且如果借給他，他必須分期帶利息償還。他也要簽一份合約。

男友告訴你他不喜歡你穿的洋裝，你說你不會換掉，因為你很喜歡這件洋裝，但你可以妥協，在外面加件外套。

C型：男友跌跌撞撞地走進臥室，展示吻痕給你看。你甩了他一巴掌，然後你們兩人激情做愛，和好如初。

伴侶提起巡迴賽的事情，說剛好跟婚禮撞期，你把他的撞球桿折成兩段。

短期休假臨時取消了，你決定遷就……第二天帶著香檳和野餐的食物出現在他的辦公室。

男友釣魚回來後，你溫柔地要他進來喝杯茶。然後你把一條魚塞入車子的排氣管，要他把車子開走。

他的生日到了，你想要給他驚喜，派人送禮物過去，順便給他一吻——不巧的是，禮物送到時他正在跟上司開會。

如果男友敢消失一個禮拜這麼久的時間，等他回到家的時候，會發現門鎖已經換了。

貓咪差點被餓死的慘劇發生後，你「忘了」在男友離家時幫他餵金魚，他回來的時候，發現金魚的屍體浮在魚缸裡。

男友想借用你繼承的款項，你說抱歉不可以——你已經用在睿智的投資上了（付掉信用卡帳單、買了名牌手提包，或者去巴黎度週末）。

伴侶要你換掉你身上的洋裝，你同意，只要你們兩人可以不去派對，早早上床睡覺……

你會怎麼辦？

如果你的行為比較接近A型，你就是心理變態的理想人選，讓他可以控制你，好滿足他的慾望（這裡的重點是，你不認識他的朋友，他也不喜歡你的朋友）。他不會改變，但是你可以改。學著愛你自己，找一個尊重你的男人。

如果你比較符合B型，你不太可能會碰到心理變態，但如果碰到了，他也不會跟你在一起很長的時間。只要你保持警覺，他沒辦法控制像你這樣的人。

如果你覺得C型比較像你，那你一定很獨斷。事實上，或許有些過頭了。你不太可能碰到心理變態的男友，但或許你應該記得，在伴侶關係中妥協並非示弱，而是公平的表現。

伴侶如何變成受害者

展現出別人無法接受的行為後，心理變態通常會表示悔恨（只是表面的）。他們承諾會改變自己的行為，或者展開魅力攻勢，向受害者求愛。在可悲的事件發生後，到了這個階段，受害者或許明白，對方的行為太過分了，但一開始的創傷過了一陣子就會減弱，伴侶的保證又讓他們受到誘惑，反而跟伴侶復合，或者放棄分手的念頭。平靜了一陣子，或甚至兩人在這段期間感覺非常相愛，之後常會出現上述的情況，感覺非常有價值，更讓受害者對未來感到樂觀。可悲的事件或許就只發生這麼一次？

然而，伴侶關係又開始出現緊張後，受害者已經發覺了，通常會想辦法改變**自己的**行為，好避開將來的凌虐（而不是拋棄伴侶，或警告他們這種行為無可容忍）。受害者想要撫慰伴侶的同時，反而會慢慢發現懷柔政策根本沒有效。結果受害者可能愈來愈害怕和緊張，情緒愈來愈緊繃。心理變態的伴侶不一定會注意到：研究顯示心理變態無法區別聲音模式中的害怕和悲傷。

研究人員要求展現出心理變態傾向的孩童和成人聆聽聲音片段，描述其中的情緒，但他們多半做不到。[44]在另一項研究中，研究人員要求心理變態指出別人臉上表現出來的情緒，看來他們無法辨別恐懼、嫌惡和難過。㊺研究人員也發現，給心理變態和非心理變態看一張沒有表情的臉孔，然後表情慢慢轉變成恐懼，心理變態要花更長的時間才能辨別出表情的變化；變化程度到了百分之七十五，心理變態才看得出來，而非心理變態在百分之六十五時就可以辨認出來。

受害者一再發現，不論發生了什麼事，他們都無法保護自己，或者不時受到精神上的凌虐，比方說侮辱、輕蔑或「都是你害我的」這種話，因此他們發覺自己愈來愈無助，也愈來愈無力。接下來，他們常常覺得自己「需要」另一個人，來彌補他們的缺點。因為受害者要是沒有強力外援，就很難切斷伴侶關係。㊻

女人為什麼很容易愛上死刑犯？

在我最危險的男性囚犯委託人中，我注意到一件很奇怪的事，很多他們以前不認識的女性會寫信來關心他們；根據傳聞，死刑犯也一樣。或許這主要跟女性有關——我也有很危險的女性囚犯委託人，她們就不會收到這麼多陌生男性的慰問和關心。為什麼？

害怕親密關係的人會無意識地選擇不在身邊或心有所屬的人當成伴侶。如此一來，他們能夠體驗強烈的「愛情」，而不需要處理真實的關係（通常很平凡，或者很難處理），不必擔心真的要跟別人變得很親密。

和死刑犯談戀愛，或許就是終極的做法。可能會很強烈，充滿戲劇性，但百分之九十皆屬虛幻。承認吧，這樣的男友幾乎不可能帶著行李出現在你家門口，準備把他蒐集的CD都搬進來。這段感情「膠著」在情書和打電話的階段，一般代表了伴侶關係的初期。沒有威脅，又充滿刺激。

我知道有些女性發現她們在牢裡的「男友」同時有好幾個女人，卻寧可不在乎，因為這種安排完全符合她們的需要，「有點黏又不會太黏」的虛幻關係。

此外，很多女性深深相信，她們的愛能夠讓壞男人悔改。這些女性覺得跟她們在一起時溫柔體貼的男人，過去卻犯下暴力罪行的這件事，非常撩人，也表示自己很有魅力。伴侶對罪行的藉口、理由和強辯她們照單全收，才能化解內心的衝突。

這些類型的伴侶關係從心理層面來看，很像某些女性會去迷戀名人或其他無法跟她們在一起的男性。她們的行為跟過去的損失有關，不想要建立「真實」的關係，避免未來又要心碎受苦。

「不知情」的妻子——蘿絲瑪莉和普里姆蘿絲

如果你認為上面提到的心理變態伴侶絕對不可能愚弄你，想想那些一輩子都不知道丈夫是嚴重心理變態的女人。我馬上想到兩個：弗里茨（Josef Fritzl）的妻子蘿絲瑪莉，和希普曼（Harold Shipman）的妻子普里姆蘿絲。

蘿絲瑪莉跟現在人人唾罵的弗里茨結婚時，她十七歲，他二十一歲。二〇〇八年，七十三歲的弗里茨被判無期徒刑，他讓他的女兒為他生下七個小孩，把女兒跟孩子關在家中的地下室，囚禁了二十四年。一名嬰兒只活了三天，被送到火爐中「火化」；三個小孩跟女兒伊麗莎白是「地下室家庭」；三個小孩跟蘿絲瑪莉住在樓上，弗里茨說伊麗莎白把三個小孩留在門口讓他們扶養，然後追隨邪教跑了，蘿絲瑪莉便收養了這幾個孩子。

很多人質疑，蘿絲瑪莉怎麼可能不知道或漠視丈夫用手推車送下樓的食物，而且弗里茨也不准她下樓。她也不懷疑丈夫說女兒把三個小孩留在門口的托辭。大家都不明白，女兒突然不見，她怎麼不想辦法把女兒找回來。

但弗里茨在家是個暴君。結婚十年後，弗里茨被控強姦，入獄十八個月，但蘿絲瑪莉仍然願意跟他在一起。女兒「消失」前，從十一歲開始就一直被父親強暴，直到十八歲，蘿絲瑪莉也坐視不理。或許因為恐懼，她不敢問丈夫太多問題，終於「極度認知錯誤失調」，在這種精神狀態中，兩種令人不快的衝突情緒被不合理的邏輯減弱了。蘿絲瑪莉不管丈夫的行為有多荒謬，還是會一直幫他找藉口。

蘿絲瑪莉離開了子孫，換了姓氏，獨自住在奧地利的一間小公寓裡。她並不特殊，至少只能說，她特殊的程度或許跟極端的心理變態行為一樣少見。

＊＊＊

普里姆蘿絲嫁給希普曼醫生，這位家庭醫師對十五名患者注射致命毒物，然後偽造遺囑，因為謀殺罪而被判無期徒刑。據估計，他最多害死了兩百五十個人。他受審的時候，普里姆蘿絲也會出席，據說總是第一個到，最後一個離開，甚至還發送巧克力給其他人。結婚三十五年後，她對丈夫依然忠誠，只說過她「相信」他是無辜的。在她的一生中，她絕對會把丈夫擺在第一位。

普里姆蘿絲在十七歲的時候認識希普曼醫生，幾個月後就懷孕了，在一九六六年被迫結婚，她的父母都是衛理會的虔誠教徒，非常反對他們的婚姻。一九七五年，希普曼醫生偽造處方開出管制藥品配西汀給自己使用，遭罰鍰六百英鎊，然後被送到勒戒所。有機會回家的時候，他的妻子會開車接送，當他因用藥而昏迷的時候，她解釋說他在「發癲癇」。在工作的地方，大家都說他會霸凌別人，心情毫無來由地起伏，像小孩子一樣亂發脾氣，在家也一樣。

然而，他會從監牢裡寫浪漫的情詩給她，她也定期探視丈夫，直到四年後他自殺身亡，根據報紙上的消息，她仍沒脫下婚戒。希普曼顯然很有能力，讓妻子對他死心塌地，也能激發其他人的深厚情緒和關切，但他犯下了事先規畫的冷血罪行，應該無法體驗深情和關心。

偶爾心理變態會碰到「天作之合」，令人不寒而慄：韋斯特太太（Rosemary West）說：「我在徹騰姆公車站等車。他走過來開始講話。我說過，我第一個反應是『噁心死了！』。他髒髒的，似乎很有心機，我不喜歡他講話的樣子。當然，弗瑞德連死人都能勸活，他費了一點口舌說服我，我就答應跟他去喝點東西。」（譯按：韋斯特夫妻是英國著名的變態殺人魔，共姦殺了十幾名少女，包括自己的女兒在內，還把死者分屍後埋在院子裡。）

殺人魔女友——崔西．安德魯絲

一九九六年十二月，二十五歲的李．哈維在一條鄉間小路上流血身亡。他的未婚妻崔西．安德魯絲（Tracie Andrews）聲稱有個「眼若銅鈴的肥胖男人」在路上超車跟他們起了爭執，結果殺死了哈維。全英國的警察都開始追捕這名男人，有六百五十名駕駛人接受偵訊，卻找不到一個嫌疑犯。

攻擊事件過後，安德魯絲在電視上聲淚俱下，要求逮捕兇手。她說未婚夫「可愛、幽默、充滿愛心」，也是兩個五歲女兒的好爸爸（其中一個女兒是和前妻生的）。

事實上，當時二十七歲的安德魯絲才是元兇，她用一把類似瑞士刀的小刀割斷了哈維的喉嚨，又捅了他無數次。在長達二十一天的審判中，旁人發現，他們的關係一觸即發。鄰居會聽到他們吵架，一吵就兩個小時，每個禮拜多達三次，因為聲音很大，鄰居也聽得出他們在吵什麼。謀殺案發生當天，兩人又吵了一次。

安德魯絲個性易怒，反覆無常的性格（她也曾在公開場合多次攻擊男友）表示她不懂得控制自己的行為。但在這次事件中，最令人震驚、也最有可能展現出心理變態性格的元素則是她能上電視懇求大家幫忙找到殺害男友的兇手。在警方發現她並非無辜後，她沒有表現出悔恨之意，也不願認錯——另一個警訊。

安德魯絲被判終身監禁，法官認為她必須坐牢至少十四年。判決發布時，她抗議她是無辜的，到了一九九九年才認罪，希望能減少刑期。她已經在二〇一一年七月出獄。

結論和勸告

心理變態擅長操縱或欺騙，在尋找伴侶時也會慎選受害人。他選擇的對象可能很寂寞或軟弱，或者很有成就，讓他能夠得到自己想要的地位。懂得玩手段的心理變態會用連續不斷的獎賞和威脅，讓受害者唯命是從。最後，得到想要的東西了，心理變態就拋棄伴侶，讓他們心中充滿困惑。通常，他還會一再要求復合。

和心理變態的伴侶關係確實能帶來破壞。但我明白，此類關係的變化無常會讓人無法自拔（「她愛我……她不愛我……她愛我……」）。

★要如何才能學聰明點，保有自尊？快樂時光所帶來的回報比什麼都令人無法抗拒。你得自問這真的是愛，還是改不了的習慣。有個很好的方法，寫下在伴侶關係中你抱有什麼樣的價值觀，你的界線是什麼：你在意忠誠嗎？誠實呢？什麼可以接受，什麼不能忍耐？目前的關係是否違反你的價值觀？如果你無法堅持對伴侶關係的信念，一直妥協，很有可能這不是你的選擇，只是無法割捨的壞習慣。

★審查你的伴侶關係：你覺得滿足、快樂、有人關懷的時間占多少百分比？覺得受人利用支配或焦慮不安的時間又占多少個百分比？根據這些問題的答案，或許該設下停損點，趕快抽身。我承認，嘴巴說說很容易，要做卻很難，但有需要的話，起碼要尋求法律諮詢，得到專業協助，也要有親友支持。

☆如果你認為伴侶是心理變態，你一定要明白，對方不會改變自己的行為。事實上，你可能會發現，你一直在改變，好讓一切恢復成理想狀態。可惜的是，給出再多的愛和體諒都無法帶來必要的改變。心理變態能夠抗拒各種形式的情感訴求。隨著年齡增長，他們的行為或許會比較容易忍耐，但無法「治癒」。

☆如果無法立刻離開，想辦法保護自己。比方說，就實際面而言，你有自己的銀行帳戶嗎？如果有共同的資金，一定要看緊一點。堅持自己的立場：不要讓步接納他的奇想、不要借錢給他、不要讓他在性事上予取予求。

☆不要玩遊戲或爭權：情況一定會愈演愈烈，你只有輸的分。不要對朋友保密，也不要在他們面前為伴侶的行為找藉口。你一定會覺得很尷尬，但覺得尷尬就是明顯的徵兆，你的關係一定出了問題。朋友的反應或許跟你預期的不一樣，但他們會幫你保持清醒。

☆伴侶對你發出輕蔑之語或吼叫，或者利用你，你要知道自己是受害者。用客觀的角度看待，別忘了這**不是你的錯**。伴侶可能會洋洋灑灑列出許多理由，控訴都是你害的，他當然在說謊。

☆伴侶對事件總有扭曲的看法，不要被他洗腦了，尤其是當他把無理的行為都怪到你頭上，認為是你的責任。每次和心理變態的伴侶吵架，總由你道歉收場。你可以練習說：「這是我的看法……」當他指責你又在小題大作，睿智地點點頭，告訴他：「嗯，那是你的看法。」

☆練習堅持立場：不要提高聲音，平靜地說話，用「我不是在開玩笑」的堅定語氣。抬起頭來，重複你需要說的話，然後脫離——走出去，出門蹓狗或購物——就是不要想把死馬當活馬醫。愈跟著伴侶繞圈圈，你愈沒有方向感，更有可能相信對方才有道理。如果你不容易受影響，很有可能心理變態的伴侶一時不察就決定離開你。

第九章

你迷戀的明星是不是心理變態？

努力不懈追求財富和名聲的魅力明星，其實有很多地方符合心理變態的特質。但我們不知道要如何分辨巨星和心理變態。兩者都充滿魅力、自戀到無藥可救、要滿足自身需求時能厚顏無恥地吹牛、身邊總圍著一群願意服侍超級自大狂的人。

初看之下，心理變態的明星並沒有危險；起碼隔了一段安全的距離。但我相信，威脅在於他們能夠操控歌迷和影迷的力量。如果你把明星當成典範（「貓王會怎麼做？」），那你可能就覺得自己應該要模仿心理變態的特質，你在家人朋友面前可就沒那麼受歡迎了。不巧的是，在崇拜明星的社會中，我們看到愈來愈多這一類的行為，因為一般人也鑽破了腦袋要上實境節目，即使沒有才華，也認為自己有出名的「權利」。甚至沒上過電視的人也把自戀和誇張的情緒當成正常的行為。如此一來，我們的世界就變得更糟糕了。

一年前，我成為克莉熙的員工。十三年來，她換了二十八次助理，我是第二十九個。我在職的時間也破紀錄了，或許因為我是過來人。她並不想雇用我，但她的經理不管她的想法，因為只有少數人不容忍無理取鬧，我就是其中一個。不過我得承認，也有好幾次克莉熙快把我逼瘋了。

大家都知道，克莉熙是一線電影明星。她得過一座奧斯卡，提名三次，深受媒體喜愛。她想辦法營造出樸實自然的形象，致力慈善工作，也是兩個小孩慈愛的母親。訪問她的人和影迷總被她禮貌的態度迷住了，而且她聲稱，在附近的酒吧點一盤薯條和小杯的健力士啤酒，就是她的最愛。不過為她工作的人看到的卻是另外一面。

首先，她正要離第三次婚，兩個小孩各有不同的父親。孩子們不喜歡變動，但克莉熙似乎一點也不在意。事實上，她很少一次只跟一名男性交往——不論是已婚還是單身，她同時總有兩、三個男友，也期待孩子能隨遇而安。她甚至告訴孩子，吃早餐時看到家裡有陌生男人，要稱呼他「叔叔」。不過，不管孩子是否感到茫然，克莉熙都不管，只要她「在家」拍照時孩子們夠上相就好，她也會在鏡頭前親吻擁抱孩子，表現出好媽媽的樣子。其餘的時間呢，孩子都由保母照顧。第二個孩子才兩個月大，克莉熙就去國外拍了三個半月的電影，每天只用Skype跟家裡聯絡。

克莉熙去哪裡都帶著一大群隨行人員。她的髮型設計師、化妝師、健身教練和造型師隨時在旁伺候。再加上四個無所不在的保鑣也會跟著去片場。領薪水的人還不少。基本上這些人無時無刻不跟在她後面，當她覺得無聊需要找點樂子時就召喚他們。要是有人讓她有一絲絲的不順心，就立刻遭到解雇，所以你也猜得到，她雇用的人總是一直在換。

有時候拍攝的費用昂貴，克莉熙卻一點也不在意拖延時間的問題。我常常得打電話給攝影師，告訴他克莉熙「馬上到」，事實上她決定先去別的地方繞繞，做別的事情。我們會跟她搏鬥，想辦法說服她不要去購物或跟朋友在餐廳喝個大醉，起碼先完成該做的事情。如果沒有這些隨行人員，克莉熙的生活早就失控了。

我想我不應該抱怨。克莉熙的巨星身分表示她起碼養活了四十個人，包括管家、園丁、司機、會計師、宣傳人員等等。克莉熙決定要試鏡很重要的角色時，除了她自己，還有很多人希望她能夠成功。

很多人要求克莉熙參與慈善活動，她也建立了良好的名聲，大家都以為她很願意付出時間。她常到國外參加慈善活動，報紙上也有她去南非探訪醫院裡的小朋友或愛滋病患的消息。我猜慈善機構一定很高興，因為能廣受媒體注意，也能讓更多人發揮愛心。但仔細看看，你會發覺她很少為某個慈善機構工作很長的時間——通常在她現身幾次後，這些機構就不會再找她了。因為在鏡頭前她穿著拖地白洋裝，宛若聖人，鏡頭後卻一定紛爭不斷。

克莉熙去哪裡，都一定要準備某些東西，即使在沙漠中也一樣，你們要相信我的話。包括：Diptyque香氛蠟燭、梔子花、茉莉花和百合花、Cristal香檳、室溫的法國依雲礦泉水、按摩師、兩面照得到全身的鏡子、水果盤……，條款上可能還有其他的東西，大家懂了吧。有人居然很大膽，說慈善機構要實現這些條款或許有困難，而且要花很多錢，她大發脾氣，說她為慈善機構省下幾萬英鎊的出席費，還讓他們大幅度見報，起碼他們應該要提供這些東西。

好玩的是，克莉熙常常自行安排這些慈善活動的宣傳。願意宣傳的雜誌還要付一筆錢給她。克莉熙生活當中的大小事幾乎都能扯到錢。有一次大家很認真地討論，她生第二個小孩的過程要拍下來賣給實境節目。後來有人指出，自願剖腹生產的做法似乎不符合她樸實母親的形象，她才做罷（她當然會安排剖腹生產，不然生產前後要怎麼安排拍電影的行程？順便也安排同時進行整腹和提胸的手術）。

現在的大問題則是克莉熙老了。她拿到的角色跟以前不一樣，也更容易暴跳如雷。每天早上我們都膽戰心驚——如果她一照鏡子，發現之前沒有的皺紋，就要天下大亂了。整形醫師警告過她，他不會再幫她做任何手術。不過她會去找其他人做。這時你看不出來她動過什麼手腳——她告訴影迷，她喝很多水，每天晚上睡八個小時——主要是因為她拍過的照片都經過修改。但是不久之後，修改也沒用了。

最糟糕的是，克莉熙在往上爬的時候得罪了很多人。她的家人已經跟她斷絕往來。她對片場的工作人員很沒禮貌（有一次她對著跑腿的人大吼大叫，那可憐的傢伙拿給她百事可樂，而不是她要的健怡可樂，她堅持要導演立刻解雇他），甚至連她新買一棟鄉村別墅後雇來裝潢的營造商都做一半就走了，沒辦法繼續忍受她的虐待。我剛接了一通小報打來的電話，他們威脅要刊出一篇故事，讓拍同部片的演員吐露克莉熙在最近這部電影拍攝時有什麼樣的行為。所以她又得寫一張支票去塞住他們的嘴了。總有一天會有人說出來，我們也無能為力。當那天來到時，我會退出戰區，迎接好久不見的平靜，讓耳根子休息一下。

蘇珊娜，四十一歲，明星的私人助理

根據過去四十年來在美國各地做的調查，結果始終顯示，在每一百名美國人中，就有兩個人想要出名。[47]我想在英國的比例也差不多。有一項調查顯示，有百分之五十四的青少年想要成名（只有百分之十五想要從事醫療業）[48]；另一項研究則發現甚至連年紀更小的孩子都開始追星，其中有百分之十二想當運動員、百分之十一想當流行歌手、百分之十一想當演員。[49]而在二十五年前，前三名的職業選擇則是教書、銀行和醫療。過去十年來，由於實境節目興起，只要能「做自己」就能成名，因此明星文化特別盛行。不需要特殊的才能，也不需要磨練多年才能出頭。

當然，不是心理變態也可以當明星……但心理變態的特質可以推你一把！如果要出名，心理變態的特質會讓他們更快更容易出人頭地。不懂得懊悔或內疚，表示他們可以踩在別人頭上，就跟踩著石頭一樣輕鬆自在，爬上頂端。同樣地，他們認為自己應該變成名人，而且信念堅強永不動搖：失敗或批評都不會讓他們退縮。當英國選秀節目的毒舌評審考威爾（Simon Cowell）對一位心理變態的參賽者說：「如果你當救生員的技巧跟你唱歌的技巧一樣好，溺水的人一定很多」——他們連眼睛都不會眨一下，甚至還會回嘴說他錯了。

克莉熙展現出其他的關鍵性格：培養出與私底下截然不同的公眾形象、拉攏可以利用的人、虐待不能利用的人、很容易覺得無聊、連對自己的孩子都缺乏同理心、一點點小事就生氣、同時有好幾個伴侶、結過好幾次婚。這些都是心理變態的特質，沒錯，但在過去這些年來令人又愛又恨的名伶身上也可以看到。

問題在於：你是否一定要有心理缺陷，才想要變成明星，或者當了明星後，才會出現心理缺陷？當然有很多鼎鼎大名的明星一開始在別人口中都「很正常，對別人很好」，但為了在鏡頭上看起來完美無瑕，也被那從不消解的壓力逼瘋了。他們常會選擇用毒品來逃避，然後除了原本就有的問題外，還得面對藥物嚴重成癮的後果。明星或許會覺得自己的生活掌控在陌生人的手中——歌迷或影迷現在雖然非常仰慕他們，但穿錯了衣服、拍了爛電影或跟影迷不贊同的對象在一起，那就完了。他們確實備感壓力。研究了娛樂、運動和音樂等各個領域中的一百位明星後，結果顯示他們自殺的可能性比一般美國人高出四倍。事實上，名人的平均死亡年齡為五十八歲，而其他美國人則是七十二歲。[50]

甚至還有「貝克漢症候群」，心理學家用這個名詞描述那些沒有才華或不願努力卻想要名利雙收的人，主要針對因此感到苦惱的族群，而不是足球金童貝克漢一家人。有這樣的慾望，就幾乎是心理變態了，因為目標不切實際，很自戀地覺得自己該不勞而獲。

同樣地，也有一些名人在還沒成名前就裝得自己好像很有名：在家人面前不斷表演的戲劇學校學生，還沒開始課程就要求要有經紀人。但明星小時候就遭到遺棄的故事似乎最為普遍：從心理學的角度來解釋，想要名聲，最常見的理由就是為了要克服年幼時被拋棄而留下的創傷。畢竟，如果每天晚上都有成千上萬的歌迷在球場裡跟著你的歌聲大聲唱，或為你在舞台上的戲劇表演拍手叫好，你怎麼能說沒有人愛你呢？就拿瑪麗蓮夢露來說吧，小時候母親就不要她，她終其一生都在追尋公眾的愛慕，但她一直得不到滿足，也不覺得快樂。

如果要評估某位明星是不是心理變態，或者有心理問題，還是名聲跟成名之後的生活只是才華的副產品，其實很難，就跟想要看出同卵雙胞胎的差異一樣難。

至於**你**迷上的明星是不是心理變態……或許是，或許不是。但除非你跟對方結為好友，否則幾乎沒有辦法找出答案。心理變態可以捏造出形象來愚弄和操控眼前的受害者。對明星來說更容易，只要在愛慕他們的大眾前只展現出恰當的表情。畢竟，他們周圍有一隊人來塑造和保護他們的形象，因為他們的形象也是商業資產。

然而，我相信在明星世界中症狀不明顯的心理變態除了明星外，還有把他們當成布偶操縱的黑手，尤其是那些控制實境電視節目要如何發展的人。

心理變態明星的七個徵兆

東尼．希爾開始電視生涯時，在很成功的實境節目秀當跑腿。雖然他的工作包括幫工作人員倒咖啡跟其他雜務，但他立刻樂在其中。剛上完媒體訓練的課程，他非常喜歡熱門節目帶給他的興奮感受。但除此之外，製作人在參賽者面前威風凜凜，對方卻渾然不覺，也讓他十分心折。東尼又在那裡工作超過四季，每過一季就升一級，二〇〇六年他到史式製作公司上班，這家公司專門為實境節目發想結構，客戶遍及世界各地。他自己也變成了一個小有名氣的人，因為他的女朋友總是來自實境節目的「明星」，另外也因為他上了一些選秀節目當評審，塑造出「嚴格而公平」的個性，讓大家又愛又恨。

我們認識東尼的時候，他在新節目《心碎島嶼》擔任執行製作，橋段是一名男性和十名女性待在熱帶荒島上，最後能配對成功的人就贏了。他們的婚禮會在最後一集舉行，還會得到一百萬英鎊的現金獎項。有陷阱嗎？這些女人都是男主角的前女友。

東尼帶著親自挑選的工作人員飛往熱帶島嶼，其中有好幾個漂亮女孩要擔任跑腿。在長途飛行中，東尼常和其中一個女孩躲到廁所去，大家並不覺得特別驚訝。不過當大家在等行李的時候，他又帶了另一個女孩去貴賓室，卻讓眾人都瞠目結舌。

開始拍攝前，東尼跟導演、編劇和攝影師開會討論劇本。雖然這是實境節目，但東尼斬釘截鐵地表示，一切都不能靠運氣。參賽者都分派到了自己的「角色」，導演會確認他們展現出來的樣子符合劇本（導演對這個做法不太確定，不過這是他進公司以來首次的重大突破——東尼的建議他要照單全收）。淘金女郎、蕩婦、無辜少女、事業女性，都分配好了。東尼尚未和參賽者見面，但他看過了他們的試鏡帶。此外，他知道他可以控制一切，靠著剪接就能輕鬆得到他想要的結果。

第一個徵兆

東尼相信他有權跟工作人員上床、主導他們的道德觀念、表現得就像操控布偶的大師，控管節目參賽者的言行，展現出心理變態最關鍵的自大特質。

為了讓遊戲順利進行，東尼在拍攝開始前辦了一場盛大的派對。雖然工作人員都在喝無酒精的綜合飲料，節目的男主角馬克和他的十位前女友卻有源源不絕的三倍酒精雞尾酒。然後東尼告訴跑腿的女孩在派對上親近參賽的女性，告訴她們一些八卦：馬克喜歡的是另一個人；或者其中一個參賽者作弊，上禮拜就跑去跟馬克過夜。當然，全都是謊言。東尼想要的效果浮現了，那天晚上，至少有四名女性喝醉了尖叫吵鬧，馬克又跟另外兩個接吻了。第二天開始拍攝時，大家都宿醉未醒，焦躁難安。

為了增添樂趣，東尼告訴兩名攝影師，他必須開除其中一個人，但他還沒有決定是哪一個。然後他找了個舒服的地方坐下，享受他們為了保住工作而送來的賄賂。

第二個徵兆

東尼給參賽者喝酒，和工作人員發生性關係，又鼓動攝影師彼此的敵意，表示他完全不在乎別人（的心理狀態和其他方面）是否安好，而且很懂得玩手段。

東尼需要很高的收視率，他是執行製作人，要得到電視網高層的讚美，確保其他競爭的節目全部被擊潰。也是巧合，他之前的同事在另一個頻道製作遊戲節目，會在同樣的時段播出。東尼很高興，每個星期都傳簡訊給他，告訴他自己的收視率比較高。為了保持第一名的地位，東尼展開了侵略性十足的公關活動。當「真實世界」無法接觸參賽者的同時，他把他們的故事講給報章雜誌聽。付錢給他們的「朋友」來探聽內幕後，他弄到了其中幾名女性過去的醜聞，一定能激起話題，而且還附上照片。根據參賽者的保密合約，他也知道一些不錯的秘辛：他告訴參賽者，為了評估大家的心理健康好讓他們上節目，他必須知道所有的細節。其中一名女性發現父親不是她的親生父親時曾嘗試仰藥自盡，在拍攝結束時她一定會很驚訝，之前那個自稱是她父親的男人上了很多節目，大談她想要自殺的經過。

第三個徵兆

東尼對參賽者一點責任感也沒有。

過了幾個星期，無聊的感覺席捲而來。東尼覺得節目不夠刺激，需要更多高潮起伏。他把參賽者逐一叫到密室裡，告訴其中一人，他懷疑馬克是愛滋病帶原者；又告訴另一個人她的祖母過世了（對節目其實沒什麼影響，他只想看看她的反應）；再告訴另一個人媒體說她很胖。然後告訴其他人她們很棒，很有可能勝出，然後又說另外有一個人作弊。他對參賽者眨眨眼，秘密當然不能說出去唷。然後他告訴採買道具的人買進兩倍的酒，坐下來等著看好戲。

第四個徵兆

跟大多數心理變態一樣，東尼很容易覺得無聊。他對參賽者玩弄更極端的手段，好紓解無聊的感覺。

在這段期間，東尼跟好幾個跑腿的女孩上床，告訴每個人她們在電視界都「有美好的未來」，尤其如果能死心塌地跟著他更有可能。不過她們卻不知道，回到英國後，一下飛機東尼就會把她們的電話號碼從手機通訊錄裡刪掉，她們也不會再聽到他的消息。工作人員進入了恐慌的狀態，因為東尼沒通知任何人，就突然把兩位攝影師送回英國，要求另外兩名飛過來。他決定到了星期三的時候要讓一名女性參賽者失格，不惜高昂的經費，在預定播出前改動剪接，只因為他「覺得該這麼做」。導演每天都跟東尼開會，開到他快要精神崩潰了——某天東尼會為了節目的內容開心激動，改天他又大發脾氣，抱怨節目糟透了。

第五個和第六個徵兆

東尼的決定缺乏深謀遠慮，也不考慮可憐的工作人員要承受什麼樣的結果。要不是他們瘋狂工作，《心碎島嶼》在播出時就要開天窗了。東尼的脾氣反覆無常，一發不可收拾，正是心理變態的風格，他會用同樣的速度冷靜下來，表現出什麼都沒發生過的樣子。

節目接近尾聲時，勝出的女性很不高興地跟馬克結為連理。他們也發現要拿到那一百萬英鎊的現金要符合很複雜的法律條款——等一年才能拿到錢，而且不是全額（條款上的小字說，要扣掉手續費和成本）。兩名參賽者直接進入戒酒中心，其中三人相信她們是東尼唯一的女朋友，其中一人得接受性愛成癮的治療。其他參賽者回家後只能閉門不出，因為報紙上到處可見誹謗她們名聲的故事——有一人被控歧視愛滋病患者，必須出國避難，這控訴太過分了。

那東尼呢？東尼一路笑著前往銀行，準備接下拍攝第二季的工作。

第七個徵兆

東尼一點不覺得懊惱或內疚。而且有必要嗎？心理變態絕不會誠懇說出「對不起」。他搭飛機回家，什麼也不在意。

魔鏡呀魔鏡，誰是世界上最自戀的人？

研究發現，對照一群ＭＢＡ學生或一般大眾，名人在自戀性格量表上的得分比較高。[51]研究也發現女性名人自戀程度超過男性，而一般大眾之中，男性自戀程度則高過女性。

在名人中，最自戀的是實境節目的明星（後面跟著喜劇演員、演員和音樂界人士），或許這是因為他們相信只要「做自己」就應該出名。

作者也發現，在娛樂界的年資不會影響自戀性格量表的分數，表示自戀傾向在還沒成名前就已經出現。

史丹佛大學的監獄實驗——實境節目的藍圖？

一九七一年，研究人員做了一項實驗，探討入獄或看管監獄對人有什麼樣的心理影響。基本上他們想要知道在監獄裡出現的問題是情況使然（也就是因為人在監獄裡），還是獄警的個性造成。實驗結果和得出的結論引起極大的爭議，但和實境節目的架構卻有一些類似的地方。

美國史丹佛大學心理系的教授席巴度博士（Dr Phillip Zimbardo）做了上述的實驗。七十五名男性大學生申請參與計畫，選出了二十四人（這些人的心理狀態最為穩定）。其中一些人擔任「獄警」，其他人擔任「囚犯」。囚犯沒有名字，只有編號，要穿著不舒服的衣物，腳踝上扣了鏈條。獄警則穿著卡其布制服、戴著鏡面太陽眼鏡、腰間掛著警棍。

席巴度告訴這些獄警，要在囚犯心中灌輸無聊的感覺、「某種程度」的恐懼，讓他們覺得生命由獄警掌控，他們沒有隱私。「也就是說，在這種情況下，權力都在我們手上，他們沒有力量。」

實驗原本要進行兩個禮拜，但只過了六天就突然停止。有三分之一的獄警展現出真實的「虐待狂」傾向。囚犯很痛苦，要承受獄警的殘酷和羞辱。他們的床墊被搬走了，必須睡在水泥地上；有人被脫光衣服當做懲罰；有人被鎖在櫃子裡「單獨監禁」。席巴度自己也出現了極端的行為，第六天他的女友來探訪時，抱怨他們太過頭了，才停止了實驗。其他在場的人都感覺不到是否超過了極限。

他們做出了結論，獄警和囚犯的行為都由**情景**引起，並非他們的個性原本就是這樣。這表示只要條件對了，就連態度最溫和的人都可能變成虐待狂獄警。

然而，很多人質疑他們的結論。現在因為道德的束縛，絕對不可能重現同樣的實驗，但是類似的研究並未產生相同的結果。雖然史丹佛的監獄實驗受到世人譴責，再也無法重來，但我們在電視上看到的是否也很像上述的情況？還是只有我才這麼覺得？

電影中的十大心理變態

《猜火車》中勞勃卡萊爾飾演的卑鄙
《四海好傢伙》中喬派西飾演的湯米．狄維多
《沉默的羔羊》中安東尼霍普金斯飾演的漢尼拔
《鬼店》中傑克尼柯遜飾演的傑克．托倫斯
《美國殺人魔》中克里斯汀貝爾飾演的派崔克．貝特曼
《戰慄遊戲》中凱西貝茲飾演的安妮．維克斯

《芝加哥》中芮妮齊薇格飾演的洛茜・哈特
《恐怖角》中勞勃米契飾演的麥克斯・卡迪
《姊妹情仇》中貝蒂戴維絲飾演的珍・哈德森
《致命的吸引力》中葛倫克蘿絲飾演的佛瑞絲特

考威爾——心理變態社會的創始人？

先說清楚，我並不是說考威爾是心理變態。（雖然他稱自己是心理變態——他的公司叫做SyCo，是心理變態原文pcycho的諧音：他是在玩文字遊戲，還是用虛張聲勢遮掩真正的詭計？）我譴責考威爾，因為他大受歡迎的節目《星光大道》和《英國達人》（*Britain's Got Talent*）（在美國則有美國的版本）可以說助長了心理變態的社會；這個社會鼓勵展現出膚淺的情感、追求財富和榮耀、除了靠技能還要靠手段才能贏得比賽，這些都符合心理變態的座右銘。最近威爾森教授（David Wilson）[52]發表了文章，猛烈攻擊《英國達人》背後的陰謀，讓「普通人」競爭，贏得上百萬英鎊的唱片合約。威爾森指出，像這樣的節目概念把所有的「實境」都描繪成謊言：「這個節目已經墮落到變成怪誕的布偶秀，考威爾擔任冷嘲熱諷的幕後黑手，拉扯參賽者身上的繩子，也拉扯觀眾的心弦。」

要指出這樣的問題，威爾森是很恰當的人選。他曾在實境節目《老大哥》（*Big Brother*）擔任過一陣子的顧問，在《老大哥》「墮落到自打嘴巴」而結束後，他提出了相關的比較。

有人指責考威爾把現場氣氛炒得很歇斯底里，不同的參賽者得扮演指定的「角色」：惡棍、運氣不好得犧牲的人等等。事實上，威爾森說，參賽者「裝腔作勢的自尊心已經到了荒謬的地步」，「比方說我們聽到十七歲的孩子說：『為了這一天我已經奮鬥了一生。』好像他在準備諾曼地大登陸一樣。」

考威爾當然不孤單，還有其他人像他一樣操弄節目背後的詭計。但他最有名，而他也充滿好奇心，想要變得有名，同時讓別人出名，也就是說，盡一切所能來鼓勵社會上的心理變態特質，因此我才會特別用這段篇幅來描述他。

名人對年輕人的影響

下面的統計數字來自www.pinkstinks.co.uk這個網站，該網站推出了一個活動，想要減少媒體對又瘦又有錢的名女人的迷戀，因為這些人已經變成年輕一代的價值典範。

☆百分之三十五的少女選擇維多利亞・貝克漢是最有影響力的名人，百分之三十二選擇歌手蕾歐娜（Leona Lewis），凱特摩絲（Kate Moss）和艾美懷絲（Amy Winehouse）則名列三四。[53]

☆百分之三十七的教師說，學生想要出名，只是為了出名。

☆超過百分之七十的教師相信，名人文化妨礙孩子的志向和期望，製造出一代不相信要靠著教育和努力工作才能成功的孩子。

☆百分之四十四的教師說，他們的學生想要透過外表和行為來模仿這些名女人，有百分之三十二的學童以美國名媛芭莉絲希爾頓（Paris Hilton）為模仿對象。[54]

實境節目製作人的道德觀

克魯（Richard Crew）之前在洛杉磯擔任紀錄片製作人，他收掉了製作公司，開始研究媒體。在研究過程中，他決定要檢視選秀競賽節目和約會節目，他訪問了之前的員工和製作人，找出製作「實境」節目時，製作人到底抱著什麼樣的道德原則。[55]

在設計問題時，他從實境節目應該要有的道德考量出發：非專業的參賽者以「公平且負責的態度」對待，一般人的故事和體驗用「符合道德的態度」來呈現。

克魯指出，無法固守這些考量，會有嚴重的後果，尤其是心理狀態不夠堅強的參賽者。一九九七年，第一個從瑞典實境生存節目《魯賓遜遠征記》（*Expedition Robinson*，《我要活下去》〔*Survivor*〕的原型）遭到淘汰的人臥軌自殺了。

克魯在研究過程中發現，雖然執行製作會很小心，說他們已經有措施，確保公平負責的態度，但「當我跟執行製作下面的製作人員談話時，我聽到不一樣的說法」。監製和編審聲稱，他們沒聽到任何和道德有關的指示。相反地，「上層要求他們『創造出娛樂性高的故事』」。他們說，壓力來自整個機構；「就表面上而言，電視網的代表堅持實境節目要『選派有個性的角色』，這些角色放在一起則會造成衝突。」

克魯也發現，節目常常提供免費的酒類飲料，「嚴重影響」參賽者的行為。有位製作人承認，很多講話模糊不清的地方都被剪掉了。在剪接的時候，製作人也可以強調戲劇性強的地方；有個編審說一定要有這種「作弊連續鏡頭」，因為「演出人員不一定能在鏡頭前展現出真實的感受」。他們也會用一種叫做「科學怪人咬一口」的剪接手法；「如果能描繪角色的觀點」，就可以接納。參賽者說話的日子不同，但很有創意地剪接在一起，好像來自同一個場景。

克魯結論說，節目已經有保護演出成員心理健康的道德標準。「但由於製作人在製作過程中必須要做出無數的決定，他們的作為多半不符合高層的道德指引，非常令人驚訝。」電視網想要娛樂，「因此個人的道德標準被實際的考量擠掉了，刺激觀眾和收視率變成首要任務」。

結論和勸告

在這一章，我們思考的問題是你能不能分辨心理變態名人和「正常」的名人。兩者通常都展現出自大、傲慢的自我中心主義、相信他們是所有人注意力的焦點、從不放棄成功。如果無法變成名人的好友，根本無從分辨。

至少，如果你迷上的明星一直站在安全距離之外，就算他們是心理變態，對你也沒有立即的危險。

自戀程度最高的名人是實境節目的明星。但是，你會想，這些「明星」是否只是製作人操弄的玩偶？他們真的會變成心理變態，抑或只是被包裝成那個樣子？觀眾對於「令人震驚」的電視節目愈來愈沒有感覺，電視網只得更努力創造出帶有真實衝突或戲劇效果的節目，期待能夠贏得收視率戰爭；這意味著，他們對參賽者耍的手段更無法無天了。

今日社會愈來愈重視名人，或許會帶來另一種危害；他們變成別人的榜樣，影響所及除了創造出更多跟隨他們一舉一動的小怪獸，也讓心理變態的價值觀和行為得到更多鼓勵。在這樣的社會中，自戀狂算是正常，只要一遭逢輕微的挫折就展現出誇張的情緒，為了達成目的可以利用和凌虐別人。心理學家詹姆士（Oliver James）在他的著作《富流感》（*Affluenza*）中提出類似的假設，他說，他認為自私的資本主義就像細菌一樣，透過最富裕的經濟體傳播。[56]在這些國家，大眾用財富和其他表面的價值來自我定義，比方說他們多有吸引力和名聲，以及他們能炫耀這些特質到什麼程度。

為了加以對抗，他建議我們「內省」，而不要「外求」，少花一點時間看電視，多跟家人在一起，不要把生命看成一場競賽。很簡單，但我覺得很有用。要對抗心理變態，最好的防禦就是時時審查你自己的價值觀：如果有人要你屈服，或甚至違反你的道德認知，不該讓這些人影響你的生命。即使他們是常常出現在電視上的明星。

第十章

你是不是心理變態？

好消息是，就定義而言，如果你覺得自己是心理變態，那你是心理變態的機率微乎其微。然而，在我們一生中，總有時候會被迫出現心理變態的行為，這叫做「情境心理變態」。或許在學校遭到霸凌的人想要報復，不得不採取激烈的手段；或者愛人把你一腳踢開，你想要讓他感受到你的傷口有多痛。這時你可能就會體驗到心理變態無情冷酷的心態。

但真正的心理變態所擁有的特質不會消失，在不同的時間和背景下都會展現出來。心理變態不會因特殊的事件而發作，之後也不會因自己的行為而感到羞恥或愧疚。

回顧結婚前的那幾個月，我覺得好羞恥，簡直快哭出來了。老實說，我真不知道我怎麼過的；求婚後，那個我愛上並求她嫁給我的女孩消失了，度蜜月時才再度出現。我們登上返航的班機，她又恢復成正常的樣子，不過我內心的恐懼仍未消失。我想，她自己也覺得很丟臉吧，但我們沒有好好談過那段恐怖的日子——我寧可忘掉她到底做了什麼事。

挑選結婚日期的時候，惡夢開始了。她已經選定了三個地點——我倒不知情，那時候我們約會才滿一年，在我求婚前，兩人都沒提過結婚的事——那三個地點都訂滿了，六個月後才有空檔。所以她打電話去其中一個地方，說她的父親最近心臟病發作，要是她不趕快結婚，她很擔心父親沒辦法陪她走紅毯。這番話半真半假——她父親只是疑似心臟病發作，但是沒有人提到他只能再活幾個月這種事情。不論如何，她捏造出的傷心故事很成功，我們訂到了一個星期五下午，也算不錯了。

然後要擬賓客名單，她說我不能邀請某些朋友，連某些親戚也不能邀；因為人數有限。但是結婚地點能夠容納兩百五十個人——我知道她只是覺得我的一些朋友可能會喝太多，或者跟人打架鬧場什麼的，不過他們真的很少鬧事。

她對伴娘也很可怕。她要其中一個在婚禮前減掉十五公斤，另一個則要染金髮。她選的伴娘服很貴，但穿起來一點也不修飾，以便突顯新娘的美麗。最羞辱人的地方則是，她堅持要伴娘付錢買這些衣服，當作送她的結婚禮物。

選擇她的夢幻新娘禮服必然也是夢魘一場——連我都開始做惡夢，一身冷汗地驚醒，夢中會出現法國香蒂莉蕾絲和珍珠鈕扣。我們跟禮服店和裁縫師見了無數次面，客廳裡一堆一堆都是新娘雜誌，她的母親臉色蒼白，驚恐的表情似乎永遠揮之不去。「終於選定了禮服」，這句話她說了至少四次：她的爸媽要付布料和裁縫師的費用，但試穿兩三次後她就不喜歡了，啜泣著說她得再找一件。

我們去了一家很高級的百貨公司登記結婚禮物的清單（譯按：英國的規矩是新人會去百貨公司登記清單，再通知親友從清單上選擇他們要送的禮物）。不過我看到一半就離開了，因為我們吵得很兇。她選的禮物都超過一百英鎊，大多數在兩百五十英鎊上下。她甚至還挑了一兩樣幾千英鎊的東西，說我幾個有錢的親戚「應該要掏點錢出來」。當然，在我邀請的少數親戚中，這幾位都在內，不過他們跟我們很少往來。很好笑的是，在我們結婚前幾個月，他們突然受邀來家裡吃飯，她還暗示說，等我們有了小孩，可能會請他們當教父跟教母。我知道他們一定覺得很奇怪——去年這個時候，我們連他們的名字都沒聽過。

她發現有個朋友也要舉辦單身派對，而且日期跟她的很近，她打了幾通電話給首席伴娘，歇斯底里地尖叫，直到對方改變日期。她甚至散播謠言，說朋友的未婚夫在外面亂來：她要他們取消婚禮，她才能獨占光芒。還好，朋友很有智慧，識破了她的伎倆。

單身派對的大小細節也由她決定，包括每個人該出多少錢，還有她要未受邀參加婚禮的朋友幫她做紀念冊，貼上照片跟寫好祝福的話。有一個朋友說她不能來，因為單身派對很靠近她的預產期，未婚妻軟硬兼施，又哄又騙，最後朋友再也拒絕不了，只好來參加。

婚禮前一天是預演派對，我差點就想取消婚禮了。她對著伴娘尖叫，「她們走路的方法不對」，我們都要毀了「她的」婚禮。連她的父親都免不了被她大吼，因為那天晚上家族聚餐時他選錯了領帶。

從來沒有人問過我對婚禮的意見：地點、食物、花藝、音樂。我知道對新娘來說很重要，但我呢？也是我的大日子吧。

最後還不算太糟糕。拍照時她只有一點點歇斯底里——我們花了三個小時才拍完她想要的照片，美髮師和化妝師一直隨侍在側。我們開舞時她在我耳邊低語：不是甜蜜的呢喃，而是在指導我的舞步。還好大家的致詞她都還算滿意，但那只是因為她事前叫我們全部練習過了。

在她把捧花丟向歡呼的賓客時——當然事先已經安排好誰會接到捧花——我的臉上出現了微笑，然後笑得像個精神錯亂的小丑。太好了，終於一切都結束了，我們可以恢復正常的生活。

約翰，三十二歲，新婚人士

這個故事裡的準新娘絕對是個貼上「酷斯拉新娘」（Bridezilla）標籤的適當人選——而且她不算特例。準備婚禮的壓力很大，也是一個好例子，在重重要求下，你很有可能變成「情境心理變態」。更不用說為了成功的結果，你投下了無比的時間和精力。這位新娘的行為雖然快要超越界線，但她仍不算心理變態。

我們常用「變態」來形容我們不了解的侵略或古怪行為。你一定聽人說過「變態老闆」或「變態前男友」吧？就連我們之間最循規蹈矩的市民也說過一兩次謊話，或為了自己的利益而違反規則。如果有適當的情境組合，大多數人都會暫時變成心理變態——但這跟真的**是**心理變態有很大的差距。如果你是心理變態，你真的要有很糟糕、非常糟糕的行為。

但是，當心理變態究竟是什麼樣？他們會介意我們叫他們心理變態嗎？我知道有些人挺喜歡這個標籤，很自豪自己有個「特點」。有一兩個人聽了覺得很氣憤——這些人不管做了什麼，都會完全否認。他們看不到自己有什麼疾患，無法為自己的行為負責，甚至有人提出清楚的證據來對抗他們的時候，他們也會完全否認自己的行為。「我不在那裡，」他們會說：「老兄，那不是我。」然後一直重複。

被診斷出是心理變態的人似乎大多數覺得很不錯，或許還會去研究這個主題。但他們沒有一般人預期的情緒反應；他們完全不在乎和「心理變態」這個詞有關的負面涵義。一般來說，大多數心理變態對他們的情況一無所知：他們從未體驗過其他的情況，因此假設所有人都跟他們一樣。但我們體驗過，因此要面對心理變態，就成了整個社會的難題。我們就是不了解為什麼有些人無法感覺到愛、悲傷或內疚。

我聽過一兩個心理變態說他們知道別人覺得他們「很奇怪」。但除非得不到想要的東西（多半是假釋），他們其實不怎麼在乎別人的想法。有一次我問一位知名的心理學家兼講師他是否認為自己是個心理變態。他滿面笑容地回答：「對呀，我想我是心理變態，大家都問我這個問題。」

對心理變態週遭的人來說，有個好消息，他們最嚴重的違法和侵略行為通常到了四十歲就會趨緩。[57]對他們來說也有好消息，雖然他們在別人心目中絕對跟無憂無慮扯不上關係，但他們不太容易焦慮或憂鬱。事實上，如果你是心理變態，甚至有可能變成全世界最成功的人——知名的政治家，或許銀行的執行長？邪教的領袖？

壞消息則是心理變態很容易自我毀滅。對身邊的人造成破壞的同時，他們對自己也會造成相同程度的破壞，除非他們是少數的「幸運兒」，懂得自我控制，把自己偽裝得更好，在社會中找到能把心理變態特質當成長處來發揮的角色。

你是心理變態的七個徵兆

看過了前面的章節，你應該知道，這世界上沒有標準的心理變態：他們的偽裝很多元化。然而，或許我們該來看看心理變態的「凡人」是什麼樣子：他的背景沒什麼特別，卻展現出異常且令人寒心的個性。

巴瑞的家庭背景很普通，工人階級，簡單樸素。他的父母盡全力照顧家人，但巴瑞十歲起就開始逃學。他交了一群壞朋友，開始在附近的國宅破壞公物、吸膠和痛飲蘋果酒。甚至有一陣子父母親完全無法控制他的行為。在這段時間內，巴瑞只記得他的惡作劇讓爸媽都很痛苦，他卻覺得很開心。

第一個徵兆

巴瑞的成長過程就跟其他無數的小男孩差不多，父母想盡辦法給他最好的照顧。但從小他就有嚴重的行為問題，在心理變態的萌芽期十分常見。

在成長過程中，巴瑞一直漫無目的。他曾在酒吧工作過，但過了一兩個星期就不見人影，所以被老闆解雇了。他只有一點點錢，不想用在房租上，而且要有人可以幫忙付帳單，他不認為應該自掏腰包，所以巴瑞會到新認識的朋友家住，睡在沙發上，住所也一直換。偶爾他會犯下輕微的罪行，偷朋友的錢，或到附近賣酒的地方偷整瓶的伏特加。

第二個徵兆

心理變態沒有目標，做完一件事又換下一件，只為了生存，不管自己的行為是否合法。

巴瑞似乎很容易交到新朋友，但朋友會突然被他拋棄，也不知道為什麼。事實上，他沒法區別認識的人跟朋友之間的差別——對他來說都一樣。他和幫過他的人不會保持聯繫，過了四年後，凌晨三點他出現在他們的門前，他也不明白為什麼這些人似乎不太高興見到他。

他沒有固定的女朋友。如果能釣到女孩子，他從不維持長久的關係。他咕噥著說：「不明白該死的女人要什麼。」他覺得如果女人願意跟他上床，他就給她們酒跟香菸，可是他不懂為什麼每個女人都反對這樣的提議。

第三個徵兆

巴瑞的魅力足以交到新朋友，但他沒有維護友誼的能力。他的情緒不穩定，沒有同理心，他不了解其他人；對他來說，別人只是幫他達到目的的工具。

巴瑞常跟別人吵架爭論，或者起衝突。附近很多人都知道，他暴躁易怒，一點小事就能讓他大發雷霆。當然，很多人在路上看到他走過來，就會想辦法避開，或者因為上次巴瑞對他們大動肝火而心中懷恨。不過，當然沒有一次是巴瑞的錯。事實上，他不明白為什麼這個世界對他這麼殘酷。他覺得他一定很倒楣。

第四個徵兆

心理變態看不到自己的行為會帶來什麼結果；他們完全沒辦法負責。此外，發生在他們身上的壞事則被視為「運氣很差」。因此心理變態常常很不高興自己為什麼這麼可憐。

有天晚上，巴瑞覺得他受夠了。大家都欠他，他要去討回來。首先，他從最近收留他的朋友皮夾裡偷拿了信用卡，用卡上網賭博。輸了數百英鎊後，他知道朋友會把現金藏在廚房櫃子裡的空罐頭中，這些錢是他存起來要去度假用的，但巴瑞把錢拿走了。

他用偷來的錢在酒吧混了一下午，中間還去附近的妓院嫖了一下。之後，巴瑞一個人走在路上，看到遊民在乞討。巴瑞猛踢他的肚子。有個女人看到巴瑞的行為，對他吼叫，威脅要報警。巴瑞怒氣沖沖地瞪著女人，接下來只聳聳肩膀就離開了。

回到朋友家後，他發現朋友心煩意亂，到處找錢到哪裡去了。巴瑞說，他覺得是朋友的前女友偷的——那天稍早她曾來過（她當然沒出現）。朋友還沒發現巴瑞的謊言，他就先離開了。

第五個徵兆

雖然朋友好心留他住下來，巴瑞卻不尊重朋友的感受，還偷走他的錢。亂踢遊民，又把竊盜罪名推到朋友的前女友頭上，更加顯示出巴瑞對其他人漠不關心。

巴瑞的行為嚴重違反道德，而且非常卑鄙，但他毫不懊悔。他對別人的反應大惑不解，卻又感到有趣，比方說路上那個看到他踢遊民的女人。在電影《體熱邊緣》（*Malice*）中，妮可基嫂看到一位母親因孩子受傷而悲痛不已，然後回家對著鏡子練習同樣的難過表情。巴瑞的感覺差不多就是這樣。

第六個徵兆

心理變態做了壞事後一點也不悔恨。他們的感覺很淺薄，事實上，看到別人展現出來的情感，反而令他們十分著迷。想想看，你看野生動物節目時有什麼感受：心理變態看著你的時候或許就有類似的感覺。

周圍的人愈來愈明白，巴瑞就是「不懂」怎麼跟人相處，他感受不到別人表達的情緒，大家便開始稱他「心理變態」。他又覺得很有趣。他研究了一下這個名詞，心裡想，或許這就是為什麼其他的人那麼無情（他一直覺得與眾不同……這個世界應該對特殊的人好一點）。當他（終於）因為詐欺罪去坐牢的時候，巴瑞要求監獄裡的心理醫生來看他。他想要討論一個心理變態的「特殊需求」。心理醫生很專業也很謹慎，但他發現巴瑞的說服力異於常人。不久，心理醫生就幫巴瑞安排，得到監獄系統中的特權——比方說汽車機械的課程，以及更多的探訪次數。就跟之前的許多心理變態一樣，巴瑞匯集了林林總總的前科。最後他會不斷進出監獄和保釋旅館（譯按：英國特有的制度，為無固定住處或有特殊需要的犯人提供住所）。

第七個徵兆

雖然巴瑞已經被判刑，心理醫生仍被巴瑞的手段迷惑。他絕對不是第一個——就連海爾也曾被監禁中的委託人欺騙[58]——也不是最後一個。玩手段是心理變態的生存藝術；如果他們不懂得操弄別人，那才奇怪呢。

「逮捕」青少年的假警察

根據《每日電訊報》的報導，二〇一〇年九月，二十歲的薩克斯（Anthony Sacks）「受不了」深夜時分在他家附近遊蕩的青少年，他買了一套警察制服、手銬和對講機耳機，假裝他是出門巡邏的警察。

接下來的兩個月，他用手銬銬住了幾個孩子，扣留他們，「罪名」包括未成年吸菸，以及「深夜在外遊蕩」。他開車把一名十四歲的孩子送回家，花了一個小時對他母親訓誡香菸的危險性。另一名十五歲的男孩被送回家，薩克斯警告他的父母別讓這孩子半夜在外閒逛。有時候，薩克斯會用「遊蕩」的罪名把男孩銬起來，命令他上車；男孩對著認識的人大喊，才被薩克斯放走。他也曾用車上的閃光燈要求十七歲的摩托車騎士停車。

最後，一名「嫌疑犯」的母親覺得很可疑，要求看他的警徽。在曼徹斯特刑事法庭受審時，薩克斯承認了非法拘禁、綁架和詐欺的罪名。然後法官按著《精神健康法案》將他拘留，因為精神科醫師說他有人格疾患。

薩克斯或許看起來像是「情境心理變態」，因為年輕人的擾亂行為導致他採取極端的措施，不過診斷結果顯示，他的怪異行為也有可能來自持續的官能障礙。至少有一名受害者私底下稱他為「心理變態」，所以上述的猜測也有道理。我猜他或許有強迫性人格疾患（主要的特徵在於過度關注整齊和秩序、完美主義、想要控制心理和人際關係），而且很愛浮誇。顯然，心理變態比較有可能加入「反社會行為規範」的計畫（譯按：輔導騷擾、恐嚇及非法入侵住宅等犯罪者的計畫），而不是獨自執行警力。我在這裡加入這個小故事，希望大家小心：浮誇和行為古怪的人不一定是心理變態。

心理變態和自閉症——分不清楚

自閉症是很普遍的發展障礙，這種缺陷會跟著患者一生，他們的社會理解和溝通能力都受到影響。跟心理變態一樣，自閉症「從外表看不出來」，很難診斷。但普遍的程度卻值得注意。英國自閉症協會估計，每百人當中就有一個自閉症患者（跟心理變態的比例一樣）。

有時候社會很不公平，把自閉症患者誤認為心理變態，尤其是比較不嚴重的形式。有人爭論，自閉症患者跟心理變態很相似：畢竟兩者都看起來很漠然、對其他人內在的體驗缺乏真正的同理心、不受正常社會規則的限制。但自閉症患者在社交上習慣退縮（自閉症的英文autism來自希臘文中表示「自我」或「孤獨」的詞），心理變態卻能學會吸引和迷住同儕。也就是說，他們在功能異常圖譜上各占一端。

自閉症和心理變態都和大腦中杏仁核功能出現異常有關。[59]杏仁核大約一吋長，形狀像個杏仁，位於雙耳中間的顳葉上。雖然小，「在調節情緒和引導情緒調節行為時非常重要」。[60]其中有一塊地方負責從結果學習，以及辨認面部表情。但是，自閉症患者和心理變態雖然腦中同樣的地方受到影響，受損的型態看起來卻很不一樣。

我們知道心理變態無法從懲罰中學習，也無法「讀取」別人臉上的某些表情，但給他們看一系列的照片，要他們判斷對方的可信任度，他們卻做得很好。[61]自閉症患者則相反：他們能從懲罰和獎賞中學習，卻無法從面部分辨對方是否足以信賴。[62]

心理變態和焦慮

克勒利注意到他所研究的心理變態者「不會緊張不安」。[63]心理變態者整體來說焦慮程度比較低，[64]尤其是那些心理變態的人格特質比較突顯的人（我們在本書中討論的目標），相較之下他們的變態生活特質則比較不明顯。[65]

當心理變態者說他們感到焦慮時，我們通常不清楚他到底有什麼感受，因為心理變態者的情緒似乎都有不同的意義，體驗也跟常人不一樣。並不是說他們完全沒有情緒，但是專家相信他們的情緒應該是「前置情緒」（proto-emotion）。[66]所謂前置情緒是對當下情況做出表面、快速、短暫的反應。心理變態者不會特別擔憂，也不會長時間反覆思索。其實這樣感覺應該也不錯吧。

我們不會去做不合法或不道德的事情，焦慮是一個很重要的因素——我們可以把焦慮想成良心的一個關鍵元素。心理變態沒有這個問題，所以有壞念頭或做壞事時，都不覺得憂慮。

心理變態和藥物濫用

心理變態者符合酒精和藥物依賴診斷的可能性顯然比一般人高（尤其是可能會用多種不同的藥物）。

生活型態混亂的心理變態最有可能濫用藥物，所以能夠成功混入人群的心理變態比較不可能有物質濫用疾患（雖然為了消遣或不考慮後果的刺激，他們也不會反對吞顆藥丸或吸一下毒品）。[67]

最令人擔心的是，心理變態的吸毒者比其他人更有可能冒險共用針頭。[68]

測驗：你有多變態？

❶ 你正在排隊，有人擠到你前面。你會有什麼反應？

(A) 嘖了一聲，但不說什麼。

(B) 抓住他的衣領，叫他滾開。

(C) 開始跟他聊天，彷彿見到多年不見的老友。

❷ 如果國家由你治理，會不會變得更好？

(A) 或許吧。

(B) 會。

(C) 不會。

❸ 如果你再吃一塊巧克力餅乾，就會遭到電擊。你有什麼感覺？

(A) 有點怕，決定不要再伸手去拿。

(B) 沒關係啦，這次一口氣拿兩塊。

(C) 怕得要死，把手坐在屁股下面。

❹ 你要去一個喪禮，死者是青少年，在車禍中過世。你有什麼感覺？

(A) 很同情他可憐的家人和朋友。

(B) 在場每個人的反應都令你讚嘆——你把他們臉上的表情記下來，回家後練習模仿。

(C) 心碎難當——你最後一個離開，流著眼淚拖著腳離開教堂。

❺ 你對毒品的態度是：

(A) 可以用，也可以不用。

(B) 每樣都要試一次——意思是每個星期一次。

(C) 非常危險，容易上癮，你絕對不會碰。

❻ 你跟配偶結婚一年了。你決定要怎麼慶祝？

(A) 到你們度蜜月的歐洲城市過一個週末。

(B) 你忘了，那天晚上跟愛人偷情。

(C) 你預訂了教堂，要重訂結婚誓約。

❼ 十幾歲的時候你犯過罪嗎？

(A) 應該算沒有——你曾經從雜貨店偷過糖果。

(B) 開玩笑嗎？你跟附近警局的人很熟了，因為他們警告過你很多次了。

(C) 別鬧了！你在學校是一百分的好學生，你得定下模範。

❽ 老闆要你準備好簡報，明天要報告。你的反應是：

(A) 召集小組成員，要每個人盡自己的本分，把簡報做出來。

(B) 叫你的助理做好，自己花了很長的時間吃午餐。

(C) 熬夜一整晚，用黑咖啡提神，嘔心瀝血趕出報告。最後你做出來了。

❾ 朋友買了一支很貴的手錶，你很想要。你會怎麼辦？

(A) 在網路上找有沒有比較便宜的可以買。
(B) 把朋友的偷過來。
(C) 看著朋友的手錶乾羨慕，告訴自己，你賺的錢絕對買不起。

⑩ 開車的時候你會開多快？
(A) 有時候快到會讓警察記點，但整體而言你仍不會超過速限。
(B) 開得愈快愈好，閃燈要其他駕駛人讓路——這時你還在巷子裡。
(C) 時速不超過四十公里，但你寧可搭公車。

你的成績如何？

大多數是A：你挺正常，有時候會有點自私，一般而言還算不錯。
大多數是B：你跟心理變態只有一線之隔。你的朋友不多，不過你也不在乎。
大多數是C：你絕對不是心理變態，但你很敏感。小心，不要讓別人踩到你頭上。
（請注意——上述問題不是診斷工具，只是為了增加樂趣，此外，如果你是心理變態，你應該會給假的答案。）

心理變態的快感

心理變態發現他們覺得有趣的事情時，目光會變得很狹隘，忽略所有無關的細節。這是優勢，也是劣勢。缺點在於，他們對周圍的「威脅線索」特別無感，因此很可能錯過了環境提供的警訊。[69]海爾注意到駕駛戰鬥機的心理變態者在攻擊敵人時毫無畏懼，並因此受到稱讚——最後卻自取滅亡，因為他們注意不到無法令人興奮的細節，比方說燃料不夠，或者其他飛機的位置。[70]

他們對有樂趣的事情能夠非常專注。其他人當然就某種程度而言也一樣，但心理變態卻會衝到了頂點。[71]他們可能會衝勁十足地追求樂趣，但由於缺乏豐富的情緒，他們的生命很有可能不比大多數人更滿足（如果不是低於大多數人的話）。或許專心追求生活中令人興奮的事物（或僅僅「感覺」少一點）對心理變態的心理健康能有所幫助——在心理病態檢核表上得分很高的人比較不容易經驗憂鬱的症狀。[72]

結論和勸告

讀了這本書以後，如果你擔心自己是個心理變態，讓我告訴你一個好消息，你應該不是心理變態。真正的心理變態幾乎無法辨認出自己是心理變態——他們不覺得自己「很壞」——就算他們覺得自己很壞，也不會憂心忡忡。

要記住一個關鍵，雖然我們在某些情況下都有可能表現出心理變態的樣子，真正的心理變態則持續不變，在任何情況下都一樣。在我們探討的心理變態特質中，或許你勾選了一兩個，這還不夠——你要表現出所有的症狀。此外，某項行為有多壞，其實並不重要，重點在於你待人處世的特質。變成殺人犯是很可怕，但不一定表示你就是心理變態；事實上，你或許是心理變態，但從來不犯法。

心理變態並不是精神病患；他們不會出現幻覺，也不會因為腦海裡出現的聲音叫他們做出邪惡的事情就去做了。他們完全知道自己在做什麼，也能合理控制自己的行為。他們沒有內心衝突，沒有良知：所以如果你因為自己做了很可怕的事情而感到悔恨或難過，你不是心理變態。

當然，有時候我們會衝動做出心理變態的行為。每次感受到沉重的壓力，可能會引發心理變態般的狹隘視覺，讓我們想要得到自己需要或想要的東西——比方說完美的婚禮，或報復霸凌你的人。同樣地，這樣的行為或許會讓你後悔，卻不是心理變態的作為。我們還有救。

如果你是心理變態，或許你很幸運被歸類為成功人士。你沒有道德標準，在追求獎賞和快感時無後顧之憂。心理變態比較不可能有憂鬱症、比較不可能覺得焦慮、當然也不擔心別人的感受。所以心理變態的生活相較之下更無憂無慮。讓人覺得欣慰的是，你到了中年就會變得「成熟」一些。

另一方面，一般的心理變態通常生活很不穩定，常和別人爭執，他或許會覺得自己「倒楣透頂」，一直被別人挑毛病。心理變態也可能自我毀滅，任何的平衡都會很快被他破壞。一個能夠正常感知的心理變態無法融入社會規範，他很有可能會覺得「與眾不同」，被周圍的人很不公平地排斥。或許你會羨慕成功的心理變態，因為他能夠一心一意追求成功，但你知道，不論賺得多少財富，他都體驗不到深刻的快樂，這樣你應該會覺得比較欣慰吧。

參考書目

1. R. D. Hare, *Without Conscience: The Disturbing World of the Psychopaths Among Us* (New York: Guilford Press, 1998).
2. J. R. Weisz and C. J. McCarty, 'Can we trust parents' reports on cultural and ethnic differences in child psychopathology?', *Journal of Abnormal Psychology 108* (1999): 598-605.
3. D. J. Cooke, C. Michie, S. D. Hart and D. Clark, 'Assessing psychopathy in the UK: concerns about crosscultural generalisability', *British Journal of Psychiatry 186* (2005): 339-345.
4. D. J. Cooke and C. Michie, 'Psychopathy across cultures: North America and Scotland compared', *Journal of Abnormal Psychology 108* (1999): 58-68.
5. Judith Rawnsley, *Going for Broke: Nick Leeson and the collapse of Barings Bank* (1996)
6. 出處同上
7. B. J. Board and K Fritzon, 'Disordered Personalities at Work', *Psychology, Crime and Law 11*(1) (2005): 17-32
8. G. K. Levenston, C. J. Patrick, M. M. Bradley and P. J. Lang, 'The psychopath as observer: emotion and attention in picture processing', *Jounal of Abnormal Psychology,* 109 (2006): 373 - 385
9. R. D. Hare, 'Electrodermal and cardiovascular correlates of psychopathy' in R. D. Hare and D. Schalling (eds), *Psychopathic Behaviour: Approaches to Research* (Chicester, England: John Wiley & Sons, 1978), 107-144.
10. Charles-Albert Poissant, *How to Think Like a Millionaire* (London: Thorsons, 1989).
11. Erin Arvedlund, Madoff: *The Man Who Stole $65 Billion* (London: Penguin, 2009).
12. Jon Kelly, 'The Strange Allure of Robert Maxwell', BBC News Website, 4 May 2007.
13. 出處同上
14. 刊於資誠聯合會計師事務所的網站：www.pwc.com。
15. S. Schachter, *The Psychology of Affiliation: Experimental Studies of the Sources of Gregariousness* (Stanford, CA: Stanford University Press, 1959).
16. R. D. Hare and B. Gilstrom, 'Hand gestures and speech encoding difficulties in psychopaths', unpublished manuscript (1997).

17. A. Raine, M. O'Brian, N. Smiley, A. Scerbo and Chan, 'Reduced lateralisation in verbal dichotic listening in adolescent psychopaths', *Journal of Abnormal Psychology 99* (1990). R.D. 另參見Hare and J. Julai, 'Psychopathy and Cerebal asymmetry in semantic processing, *Personality and Individual Differences 9* (1998): 328 - 37

18. S. M. Louth et al., 'Acoustic distinctions in the speech of male psychopaths', *Journal of Psycholinguistic Research 27* (1998): 375-384.

19. Karen Karbo, 'Friendship: The Laws of Attraction,' *Psychology Today* (November 2006).

20. 在〈一見鍾情〉（*Love at First Fright*）這份報告中，作者要求美國德州兩座主題公園內的參與者看男性或女性的照片，為他們的外貌評分。剛爬下雲霄飛車的人覺得照片裡的人更有吸引力。C. M. Meston and P. F. Frohlich, 'Love at First Fright: Partner salience moderates roller coaster-induced excitation transfer', *Archives of Sexual Behavior 32* (2003): 537-544.

21. J. R. Meloy and M. J. Meloy, 'Autonomic Arousal in the Presence of Psychopathy: A Survey of Mental Health & Criminal Justice Professionals', *Journal of Threat Assessment 2*(2) (2003): 21-31.

22. J. J. Gunnell and S. J. Ceci, 'When Emotionality Trumps Reason: A Study of Individual Processing Style and Juror Bias', *Behavioural Sciences and the Law 28*(6) (2010): 850-877.

23. A. L. Glenn et al., 'Early Temperamental and Psychophysiological Precursors of Adult Psychopathic Personality', *Journal of Abnormal Psychology 116*(3) (2007): 508-518.

24. From J. McCrone, 'Rebels With A Cause,' *New Scientist 165* (2000): 22-27.

25. R. D. Hare, *Without Conscience*.

26. Maurice Chittenden, 'Trust me, telling fibs is sure sign of success', The Sunday Times, 16 May 2010.

27. 佛斯特（Russell Foster）教授，牛津大學的神經科學家，二〇〇七年一月十四日《泰晤士報》引用他的話。

28. J. Biederman, J. Newcorn and S. Sprich, 'Comorbidity of attention deficit hyperactivity disorder with conduct, depressive, anxiety, and other disorders', *American Journal of Psychiatry 148*(5) (1991): 564-577.

29. E. Colledge and R. J. R. Blair, 'Relationship between ADHD and psychopathic tendencies in children', *Personality and Individual Differences 30* (2001): 1175-1187.

30. J. Peter and H Burbach, 'Neuropsychiatric connections of ADHD genes', *Lancet 376* (October 2010): 1367-1368.

31. J. N. Geidd, J. Blumenthal, E. Molloy and F. X. Castellanos, 'Brain imaging of attention deficit hyperactivity disorder',

Annals of New York Academy of Sciences 931 (2001): 33-49.

32. James Blair, Derek Mitchell and Karina Blair, *The Psychopath: Emotion and the brain* (Wiley-Blackwell, 2005).
33. F. J. Zimmerman *et al.*, 'Early cognitive stimulation, emotional support and television watching as predictors of subsequent bullying among grade-school children', *Archives of Pediatrics & Adolescent Medicine 159*(4) (2005): 384-388.
34. J. B. Funk, 'Reevaluating the Impact of Video Games', *Clinical Pediatrics 32*(2) (1993): 86-90，由西撒隆（Bernard Cesarone）引述刊載網頁上：http://ceep.crc.illinois.edu/eecearchive/digests/1994/cesaro94.html（參考日期為二〇一〇年十月二十五日）
35. 青少年TGI調查（Youth TGI Survey），二〇〇四年
36. Teresa Orange and Louise O'Flynn, *The Media Diet For Kids: A Parent's Survival Guide to TV & Computer Games* (Hay House, 2005).
37. 'The Final Report & Findings of the Safe School Initiative', 1 May 2002.
38. 'The Depressive and the Psychopath: The FBI's analysis of the Killers Motives', *Slate*, 20 April 2004.
39. Mary Ellen O'Toole, FBI, 'The School Shooter: A Threat Assessment Perspective'，引述在www.fbi.gov網站上
40. E. Aronson, 'Reducing Hostility and Building Compassion: Lessons from the Jigsaw Classroom in *The Social Psychology of Good & Evil* (2004).
41. G. T. Harris, M. E. Rice and M. Lalumiere, 'Criminal Violence: The roles of psychopathy, neurodevelopmental insults and antisocial parenting', *Criminal Justice and Behaviour 28* (2001): 402-426.
42. R. D. Hare, 'Psychopathy as a risk factor for violence', *Psychiatric Quarterly 70* (1999): 181-197.
43. R. D. Hare, *Without Conscience*, 168.
44. D. Stevens, T. Charman and R. J. R. Blair, 'Recognition of emotion in facial expressions and vocal tones in children with psychopathic tendencies', *Journal of Genetic Psychology*, 162(2) (2001): 201-211.
45. R. J. R. Blair and M. Coles, 'Expression recognition and behavioural problems in early adolescence', *Cognitive Development 15* (2000): 421-434.
46. Based on K. Browne & M. Herbert, *Preventing Family Violence*, 1997.
47. Orville Gilbert Brim, *Look At Me! The Fame Motive From Childhood to Death* (University of Michigan Press, 2009).

48. www.intotheblue.com對一千〇三十二位十六歲的青少年青少女做的調查，報告刊在www.parentdish.co.uk上，二〇一〇年二月十九日

49. Watch TV網站的〈放縱孩子〉（*Let The Kids Loose*）調查，對象是英國三千名九至十三歲孩童的父母，報告刊在www.taylorherring.com上，二〇一〇年十月六日

50. 福勒斯（Jib Fowles），美國德州休士頓大學淨湖分校的媒體研究教授，著有*Starstruck: Celebrity Performers and the American Public* (Prentice Hall, 1992).

51. Mark Young and Drew Pinsky, 'Narcissism and celebrity', *Journal of Research in Personality*, 40(5) (October 2006): 463-471.

52. David Wilson, 'Rigged and Grotesque, this puppet show is doomed', *Daily Mail*, 26 October 2010.

53. GirlGuides調查，二〇〇八年

54. 來自英國教師與講師協會（Association of Teachers and Lecturers）（調查了小學和中學老師）

55. Richard Crew, 'The Ethics of Reality Television Producers', *Media Ethics 18*(2) (Spring 2007): 10, 19.

56. Oliver James, *Affluenza* (Vermilion, 2007).

57. R. D. Hare, L. N. McPherson & A. E. Forth, 'Male Psychopaths and their criminal careers,' *Journal of Consulting and Clinical Psychology, 56* (1988): 710-14.另請參見C. A. Cormier 'Psychopathy and Violent Recidivisim', *Law and Human Behaviour 15*(1991): 625- 37

58. R. D. Hare, *Without Conscience*.

59. S. Baron-Cohen et al., 'The amygdala theory ofautism', *Neuroscience and Biobehavioral Reviews 24* (2000): 355-364.

60. N. H. Kalin, 'The primate amygdala mediates acute fear but not the behavioral and physiological component of anxious temperament', *The Journal of Neuroscience 21* (2001): 2067-74.

61. R. A. Richell *et al*., 'Trust and Distrust: the perception of trustworthiness of faces in psychopathic and nonpsychopathic offenders', *Personality & Individual Differences 38*(8) (2005): 1735-1744.

62. R. Adolphs, L. Sears and J. Piven, 'Abnormal processing of social information from faces in autism', *Journal of Cognitive Neuroscience 13*(2) (2001): 232-240.

63. H. Cleckley, *The Mask of Sanity* (5th en; St Louis, MO: Mosby, 1976).

64. D. T. Lykken, *The Antisocial Personalities* (Hillside, NJ: Lawrence Erlbaum Associates, Inc, 1995).

65. C. J. Patrick, 'Emotion and psychopathy: startling new insights', *Psychophysiology 31* (1994): 319-330.

66. S. Arieti, 'Some elements of cognitive psychiatry', *American Journal of Psychotherapy 21* (1967): 723-736.

67. S. S. Smith and J. P. Newman, 'Alcohol and drug abuse-dependence disorders in psychopathic and nonpsychopathic criminal offenders', *Journal of Abnormal Psychology 99* (1999): 430-439; J. F. Hemphill, S. D. Hart and R. D. Hare, 'Psychopathy and substance use', *Journal of Personality Disorders 8* (1994): 169-180.

68. K. Tourian et al., 'Validity of three measures of antisociality in predicting HIV risk behaviours in methadonemaintenance patients', *Drug and Alcohol Dependence 47* (1997): 99-107.

69. J. P. Newman *et al*., 'Psychopathy and Psychopathology: Hare's Essential Contributions', in H. Herve and J. Yuille (eds) *Psychopathy in the Third Millennium: Theory and Research* (New York: Academic Press, 2003).

70. R. D. Hare, *Without Conscience*.

71. P. A. Arnett, S. S. Smith and J. P. Newman, 'Approach and avoidance motivation in psychopathic criminal offenders during passive avoidance', *Journal of Personality and Social Psychology 72* (1997): 1413-1428.

72. R. D. Hare, 'Hare Psychopathy Checklist-Revised (PCLR): 2nd Edition', *Technical Manual* (2003).

國家圖書館出版品預行編目資料

小心，魔鬼就在你身邊 / 凱莉．戴恩斯(Kerry Daynes)、潔西卡．法羅絲(Jessica Fellowes) 著；嚴麗娟 譯.
-- 初版. -- 臺北市：商周, 城邦文化：家庭傳媒城邦分公司發行；
2012.08　面：　公分. --
譯自：The devil you know
ISBN 978-986-272-219-0（平裝）
1. 變態心理學　2. 精神病患
175　　　　　　　　101014124

小心，魔鬼就在你身邊

原著書名／The devil you know
作　　者／凱莉．戴恩斯(Kerry Daynes)、潔西卡．法羅絲(Jessica Fellowes)
譯　　者／嚴麗娟
企畫選書／陳玳妮
責任編輯／嵇景芬

版　　權／林心紅
行銷業務／李衍逸、黃崇華
總 編 輯／楊如玉
總 經 理／彭之琬
事業群總經理／黃淑貞
發 行 人／何飛鵬
法律顧問／元禾法律事務所　王子文律師
出　　版／商周出版
城邦文化事業股份有限公司
台北市中山區民生東路二段141號9樓
電話：(02) 2500-7008 傳眞：(02) 2500-7759
E-mail：bwp.service@cite.com.tw
發　　行／英屬蓋曼群島商家庭傳媒股份有限公司城邦分公司
台北市中山區民生東路二段141號2樓
書虫客服服務專線：02-25007718．02-25007719
24小時傳眞服務：02-25001990．02-25001991
服務時間：週一至週五09:30-12:00．13:30-17:00
郵撥帳號：19863813　戶名：書虫股份有限公司
讀者服務信箱 E-mail：service@readingclub.com.tw
歡迎光臨城邦讀書花園　網址：www.cite.com.tw
香港發行所／城邦（香港）出版集團有限公司
香港灣仔駱克道193號東超商業中心1樓
電話：(852) 25086231　傳眞：(852) 25789337
Email：hkcite@biznetvigator.com
馬新發行所／城邦(馬新)出版集團 Cité (M) Sdn. Bhd.
41, Jalan Radin Anum, Bandar Baru Sri Petaling,
57000 Kuala Lumpur, Malaysia
電話：(603) 90578822　傳眞：(603) 90576622

封面設計／李東記
電腦排版／新鑫電腦排版工作室
印　　刷／韋懋實業有限公司
經 銷 商／聯合發行股份有限公司
新北市231新店區寶橋路235巷6弄6號2樓
電話：(02) 29178022　傳眞：(02) 29110053

■2012年8月初版
■2021年9月24日二版3.3刷
定價 300元

Printed in Taiwan
城邦讀書花園
www.cite.com.tw

Original title: The Devil You Know

ISBN 978-986-272-219-0

請於此處用膠水黏貼

商周出版

讀者回函卡

感謝您購買我們出版的書籍！請費心填寫此回函卡，我們將不定期寄上城邦集團最新的出版訊息。

不定期好禮相贈！
立即加入：商周出版
Facebook 粉絲團

姓名：＿＿＿＿＿＿＿＿＿＿ 性別：□男 □女

生日：西元＿＿＿＿年＿＿＿＿月＿＿＿＿日

地址：＿＿＿＿＿＿＿＿＿＿

聯絡電話：＿＿＿＿＿＿＿＿ 傳真：＿＿＿＿＿＿＿＿

E-mail ：

學歷：□ 1. 小學 □ 2. 國中 □ 3. 高中 □ 4. 大學 □ 5. 研究所以上

職業：□ 1. 學生 □ 2. 軍公教 □ 3. 服務 □ 4. 金融 □ 5. 製造 □ 6. 資訊
□ 7. 傳播 □ 8. 自由業 □ 9. 農漁牧 □ 10. 家管 □ 11. 退休
□ 12. 其他＿＿＿＿＿＿＿＿

您從何種方式得知本書消息？

□ 1. 書店 □ 2. 網路 □ 3. 報紙 □ 4. 雜誌 □ 5. 廣播 □ 6. 電視
□ 7. 親友推薦 □ 8. 其他＿＿＿＿＿＿＿＿

您通常以何種方式購書？

□ 1. 書店 □ 2. 網路 □ 3. 傳真訂購 □ 4. 郵局劃撥 □ 5. 其他＿＿＿

您喜歡閱讀那些類別的書籍？

□ 1. 財經商業 □ 2. 自然科學 □ 3. 歷史 □ 4. 法律 □ 5. 文學
□ 6. 休閒旅遊 □ 7. 小說 □ 8. 人物傳記 □ 9. 生活、勵志 □ 10. 其他

對我們的建議：＿＿＿＿＿＿＿＿＿＿

請於此處用膠水黏貼

商周出版

廣 告 回 函
北區郵政管理登記證
台北廣字第000791號
郵資已付，免貼郵票

104台北市民生東路二段141號2樓

英屬蓋曼群島商家庭傳媒股份有限公司 城邦分公司

請沿虛線對摺，謝謝！

商周出版

書號：BK5071X	書名：小心，魔鬼就在你身邊	編碼：